跟着小神农学认药

清热解毒药

谢 宇 著

CNS 湖南科学技术出版社

图书在版编目（CIP）数据

跟着小神农学认药. 清热解毒药 / 谢宇著. -- 长沙 : 湖南科学技术出版社，2017.8（2021.9 重印）
ISBN 978-7-5357-9367-6

Ⅰ. ①跟… Ⅱ. ①谢… Ⅲ. ①中草药－基本知识②清热解毒药－基本知识 Ⅳ. ①R286

中国版本图书馆 CIP 数据核字(2017)第 163638 号

GENZHE XIAOSHENNONG XUE RENYAO QINGRE JIEDUYAO
跟着小神农学认药　清热解毒药

著　　者：谢　宇
责任编辑：李　忠
出版发行：湖南科学技术出版社
社　　址：长沙市芙蓉中路一段 416 号泊富国际金融中心
网　　址：http://www.hnstp.com
湖南科学技术出版社天猫旗舰店网址：
　　　　　http://hnkjcbs.tmall.com
印　　刷：长沙艺铖印刷包装有限公司
　　　　　（印装质量问题请直接与本厂联系）
厂　　址：长沙市宁乡高新区金洲南路 350 号亮之星工业园
邮　　编：410604
版　　次：2017 年 8 月第 1 版
印　　次：2021 年 9 月第 2 次印刷
开　　本：787mm×1092mm　1/32
印　　张：13
字　　数：250 千字
书　　号：ISBN 978-7-5357-9367-6
定　　价：31.00 元

主要人物介绍

朱有德： 镇上著名的老中医，已经有30多年的行医经验，为人忠厚老实，古道热肠，经常无私帮助一些生病的穷人，有时候甚至少收或者不收药钱，赢得了很多患者的赞誉。近年来，由于年纪大了，不想让自己的医术失传，所以收了小神农作徒弟。

小神农： 10岁左右，性格活泼，对中医药学有着浓厚的兴趣，聪明又爱好学习。经人介绍，来到了朱有德身边。跟随朱有德学习的时间不长，但是已经认识了很多草药，进步飞速。不过他比较调皮，有时候比较马虎，容易认错草药。

张大爷： 药材商人，常年给朱有德供货。他走南闯北收购药材，见多识广，对于药材的种类和性质十分清楚。经常到朱有德家送药材，和朱有德关系不错，也非常喜欢小神农。由于他见识丰富，小神农也很喜欢他，经常盼望他到来。再加上他送的药材货真价实，朱有德也十分信任他。

师　娘： 朱有德的妻子，老实敦厚，对小神农十分喜爱，视如己出。她非常支持朱有德行医，平日里会帮助朱有德整理草药，是一个温柔善良的贤内助。由于在朱有德身边多年，耳濡目染也掌握了一些中草药知识，有时候也会对小神农进行指导。

慕　白： 朱有德的师弟，经营一家草药山庄，有多年行医经验。

荣　桑： 慕白的徒弟，比小神农大几岁。跟随慕白学习的时间比较长，对草药的知识掌握得比小神农多，而且性格比小神农沉稳。

内容简介

清热解毒药

现代人因为饮食不规律、精神压力等原因，很容易患上热毒，这时候就需要清热解毒。中医药学讲究人体内阴阳调和，内火就是导致人体阴阳失衡的原因之一。人体阴阳失衡，必会发生疾病。所以中医药学认为，火为六淫之一，可致病。火热郁积，导致疔疮痈肿之类的邪气，就是热毒。因此，清热解毒清的是内火，解的是火毒。而且，要想清除火热，必须要解掉火毒才有效。中医药学所讲“用凉药遏制热势，用祛火药解除火为患之势”，便是这个原理。

清热解毒药性味多为苦寒，以清除热毒或火毒为主要功效。但热毒证、火毒证范围广泛，各种典籍中记载的药物数量众多，且功效特性各异，运用也有所区别。读者需在了解药性的情况下，根据不同证候的不同表现，结合药物的具体特点来使用，方能真正做到药到病除。本书根据中医典籍，整理选取了可以清热并同时解火毒的凉性药材，并按药物针对的不同热证来分别讲解，为读者省去查找对应的时间。

出版说明

中医药学是我国所特有的一门学科，不仅包含了道家、儒家的养生基础和理论，更含有阴阳五行之哲学，使其形成祖国文化中深厚的知识基础。

随着《中华人民共和国中医药法》的颁布，中医药学受到越来越多人的关注和重视。在这项立法中，第二条规定对这一法规作出了详细解释：本法所称中医药，是包括汉族和少数民族医药在内的我国各民族医药的统称，是反映中华民族对生命、健康和疾病的认识，具有悠久历史传统和独特理论及技术方法的医药学体系。

不仅如此，自中医药法实施以来，引起了社会各界很大的反响，尤其是教育界对此非常重视。国家创新方法研究会、北京中医药大学、中国人民大学附属中学特别举行了一场“中医文化进校园校长研讨会”，国家中医药管理局局长王国强指出：将中医药文化带进校园，根据不同阶段的学生，开设不同程度的中医药课程，不仅能普及中医药知识，帮助青少年健康成长，还能将祖国传统医药文化进行发扬传播。所以，研讨会最后得出结论：要大力倡导各校进行中医药文化与推拿等养生保健技术的普及和学习。至此，各学校开始纷纷行动起来，其中北京市为全国各校的领军示范，他们早于2009年便已经开展了中医药文化的学习，及时将这一课程带进了课堂。现在，在北京有9万名中小学生在选修中医药文化课。

另外，浙江省也不甘落后，他们于2015年开始将中医药文化纳入全省小学五年级的课程之中，而且还特别建立了中医药科普宣传团，不时举办中医药文化大讲堂，为的就是把中医药文化知识带进社区、乡村、家庭，从而发扬、推广中医药文化，壮大中医药文化的人才队伍。立于创新教育的基础上，其他省市也看到了中医药文化学习的重要性，山东、安徽等省也正在努力将中医药文化带进课堂中，按不同的班级传播不同的中医药学知识。这些做法均对中医药学的发展有着良好的推动作用。

事实上，现在还有很多人对中医药学心存误解，认为一提中草药便是晦涩难懂、深奥费力的专业学识。其实不然，中草药作为祖国医学体系的特色，作为中华民族的精粹，其在日常生活中的应用非常广泛，而且其根源又深入生活，实用于生活，是难得的既可治疗疾病又能强身健体的常见药物。对这些中草药进行了解、认知，无疑在发扬中医药学的同时，又可对自我生活产生极大的帮助和裨益。

我们出版这套《跟着小神农学认药》（共计8种）便是本着这一意图而推出的，其最大的特色在于化繁为简，书写轻松，全书以故事讲解为基础，通过人物、事件的发生，将中药材的特征、用途、功效等进行讲解。主人公小神农作为一个处于学习过程中的孩子，边玩边学，逐渐对中医应用的各味中药材达到了了解、认知，这是一个寓教于乐的过程。其实，这对每一个阅读此书的读者而言也是如此，我们从对中医药学的一无所知，到跟着故事慢慢遨游于中药材世界之中流连忘返，这个过程不只会让我们增加相应的中医药学知识，更让我们收获生活养生的真知酌见。相信看完本套书，读者朋友们对中医药学的看法才会产生质的改变：原来我们所认为难懂深奥的中医药学其实就这么简单，甚至那些看似神秘的治病救人之中药材，也不过是生活中常见的草木而已。

可以这样说，本套书的最大特色在于寓事于理，传播中医药学的精髓。书中按人们日常多需多用的调理之用药进行了分类，把各种药材分别归纳成不同种类，比如补虚药、利水渗湿药、清热解毒药、止血活血药、解表药、消食药、祛风湿药、收涩驱虫药、温里理气药、安神开窍药、止咳化痰药等。有了这样细致的划分，我们在阅读的时候便简单而有针对性，再也不会觉得中医药学繁冗无味了。读者只需按自己所需要的问题去对故事进行阅读，便可于其中寻找到有益于自我身体的药材。这样一来，那些日常多见的中药材也不会被我们视为无用之草芥，弃之如敝屣了。

应该说，正是本着让人们全方位认知中药材，了解其药性及功效的目的，我们才在发扬中医药学的基础上进行了创新开发与出版。另外，由于本套丛书写作时间较紧，加上作者自身知识水平所限，书中难免会有不足之处。但相信中药材之魅力可弥补写作上的不足，从而彰显中医药学知识的光辉。惟愿本套丛书的出版，可以让中医药学得到光大传播，让大众享受简单中药材所带来的别样养生人生！读者交流邮箱：228424497@qq.com。

丛书编委会

于北京

前言
PREFACE

中草药是中华民族几千年来与疾病作斗争过程中总结出来的医药瑰宝，是中华民族的智慧结晶，不论是预防保健，还是治疗疾病，都有其独特的功效。在中医药学形成和发展的漫长历史进程中，它为中华民族的繁衍、昌盛以及人民的健康长寿做出了积极贡献。近年来，由于世界上“绿色食品”“天然药物”的兴起，中医中药备受青睐。随着社会的不断进步和科学技术的飞跃发展，人类的自我保健意识不断增强，回归自然的愿望也越来越强烈，人们更加赏识和注重中草药预防疾病和养生保健的功效。从古至今，传统中医药学不仅是人们治病救命之源，更被视为健康养生之本。纵览历代先贤著作，虽然《黄帝内经》《伤寒论》《难经》《千金方》等用药典籍不胜枚举，但其中被历代延传的精华多不在于药方，而在于草药。正因为如此，传统中医才将诸药以草为本，从而成就本草之名。

然而中国地大物博，草药数量岂止万数之多！每种药物又分别有四气、五味、归经、升降浮沉、使用禁忌等条目，若无人能辨认草药、理解药性、了解药效，那么这些天赐的愈疾之宝恐怕就会埋没于泥淖之中了。而中医典籍对于大部分刚接触中草药的人来说，又实在深奥难懂，让人望而却步。但若因此而使得传统医学之智慧最终湮没于尘埃，就实在是国人乃至世界的不幸了。基于此，笔者本着传承传统中医文化、传播优秀中医药学的初心，撰写了这套集药物速认、了解药性、对症病情、简单运用为一体的中医药普及丛书。

为了更好地让初读本套丛书的读者能够迅速认识中草药及了解它们的特点和用途，丛书以故事串联成章，以系列成书，从现代人日常生活的关注热点出发，以实用为第一准则，选取日常生活中可见的、常用的各类药物一一进行介绍。书中每一个故事就是一味草药，草药之间以药性为内在承接点，似金线串联珍珠，将传统中医药学精华串联此系列丛书。笔者惟求在深入浅出地为读者厘清药物功效作用的同时，让读者在快乐阅读中引发对传统中医药文化的兴趣，将祖国中医药文化向更深更广的社会人群中辐射、影响。此外，考虑到不同读者对于不同性味中草药的了解需求可能存在差异，笔者在编写时，采用单章成文、内中相连的编著方式，让读者既可以掌握全部药材的功效，又可随时取出一味为己所用，真正做到理论与实践结合，研究与实用兼备。

同时，为使丛书达到老叟喜读、孩童能解的表达效果，书中尽量减少了专业性较强的学术用语，代之以通俗易懂的语言。在讲解形式上，采用由小徒弟与老中医之间所发生的谈话、趣事的模式，在故事中慢慢揭开草药神奇作用的谜底，以图使读者在轻松愉快的氛围中，以探寻未知奥秘的方式，了解中草药的神奇之处与中医文化的博大精深。编写过程中，笔者也尽力做到浓缩精华、于众家所长中择善而从，为读者免去选择之烦。

丛书内容以补虚药、利水渗湿药、止咳化痰药、清热解毒药、收涩驱虫药、止血活血药、祛风湿药等为主线，罗列人们日常常见之症状，对症给出相应中草药性状特点、作法用途，使读者能够轻松对症下药，而不至于沉浸于学海中茫然无措。虽不求读者凭此一书成医，但求勉力提供治疗轻微症状、预防潜在疾病的措施的可能，故丛书不仅为治疗疾病也为大众养生而作。中医药学向来注重阴阳调和以护养生气，中医药学的精粹也包含历代杏林圣手于实践积淀中得出的养生强健之法。走进中药，认识中药，既是学习防病的开始，又是养生强体的基础。所谓“未病先防，既病防变”，传统中医的理念便是防重于治，因此丛书在预防良方上多有赘述。

本套丛书撰稿之初，笔者喜闻中国科学家屠呦呦因研制出抗疟新药——青蒿素和双氢青蒿素而获得诺贝尔生理学或医学奖，而且这一被誉为“拯救2亿人口”的发现正是来自传统中草药青蒿。在为我国科学家领先世界一流的研究成果惊叹的同时，笔者似乎也看到了中医药学的光明未来。不久之后，2016年第十二届全国人民代表大会常务委员会第二十五次会议通过了《中华人民共和国中医药法》，此法已经于2017年7月1日起正式施行。从多方面来看，中医药学的振兴已成不可阻挡之势，中医药文化及推拿等养生保健等技术进学校、进课堂、进教材当在目前。值此良机，笔者编写本套《跟着小神农学认药》丛书，切合普及传统中医文化的现实需要，并通过诙谐幽默、生动有趣而科学精准的讲解，让读者在浅显易懂、图文并茂的阅读中，不仅获得真正实用的中医药学知识，也享受轻松学习知识的过程，这不仅是一场知识饕餮，更是一场视觉盛宴！

丛书编委会

于北京

目录
CONTENTS

清热解毒药

清热解毒药

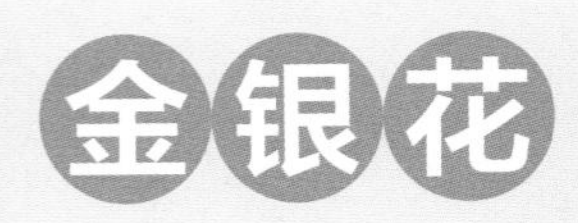

——铲除心·肺胃肠之热的忍冬

朱有德是小镇上著名的老中医，行医30多年，却一直没能收到一个合意的徒弟。一个月前，经人介绍，他收了一个叫小神农的孩子为徒。这孩子倒是很聪明，而且也招人喜欢，就是体质不怎么好。

这不，昨天朱有德带他出去采草药，回来他就喊嗓子疼。朱有德给他号了号脉，发现他有点儿上火，于是亲自给他泡了杯金银花茶，说：“多喝几杯就好了。”

小神农看到杯子里似草又像花的东西，好奇心就来了，问：“师傅，这是什么东西？是药吗？”

“它呀，是药也是茶，学名忍冬，人们多叫它金银花。为多年生灌木，开起花来很漂亮呢。”朱有德很注重教导，他可是对小神农寄予厚望的。

“金银花？是说又像金子又像银子吗？”

“哈哈，当然不是，这是指它的颜色，它开时是白色，慢慢就变成了金黄色，有淡淡的香气，不过细闻微苦。”朱有德笑着，慈爱地摸了摸小神农的头。

“它会长果实吗？”小神农睁着大眼睛，好奇地问。

“当然会长，每年5月左右开花，花谢之后就会结一个小小的圆形果实。果实有点蓝黑色，很亮，到10月左右才成熟，里面就可以看到椭圆形的种子了，长3毫米，中间有一点凸起，两侧有横纹，颜色为褐色。”朱有德细心地为小徒弟讲解，希望勾起他对草药的好奇心。

“呀，可真有意思，我都想看看它长什么样了。”小神农向往地说。

“这还不简单，明天师傅就带你去山上看，这会儿长得正旺盛呢。”朱有德就是要调动徒弟的好奇心，让他多认识一些草药。

“那太好了。”小神农高兴得跳起来。晚上，他早早就睡了，天还没亮透便爬起来，催着朱有德说：“师傅，您快一点吧，花都要谢了。”

看到徒弟这么积极，朱有德很欣慰，便背了药筐与小神农出门。一路上，小神农也没闲着，边走边问：“师傅，上火了就可以用金银花吗？这是不是说它可以清火呢？”

“对，《神农本草经》里就说过，金银花性寒，味甘，具清热解毒、凉血化瘀之功效，对治疗风热、疮疡、脓血、红肿等症都有很好的效果。不过，它归心、肺、胃、大肠经，体质寒凉的人不可以随便使用。”朱有德正说着，小神农已经像发现了新大陆一般，大叫起来：

“师傅，这是金银花吗？开了好大一片黄花啊。”

朱有德连看也没看，就说：“不是，现在还没到金银花开花的季节呢，这不过是野花藤而已。”

又走了好长一段路，在向阳的坡下，小神农就看到一片嫩绿的叶子，藤是红褐色的，便又问：“师傅，这是什么植物？”

“这就是你要找的金银花呀。”朱有德站在那里，笑着说，“你好好观察一下它的样子吧，要仔细看哦。”

小神农早等不及了，走到金银花前，蹲在那里细看，嘴里念念有词：“师傅，您看，老藤是深红褐色的，可是新长的小枝是浅红褐色，藤上还有腺毛，叶子都是成对生长的，像个鸡蛋。”

朱有德笑了，说："这叫倒卵形，它的叶子很薄，多数在前端变尖，偶尔也会有钝圆的，但基部有缺口，像心形。叶子上面深绿色，下面却是浅绿色的，叶柄不长，还带有茸毛。"

"可惜呀，我没看到它开花的样子，它的花是从哪里冒出来的呢？"小神农失望地说。

"花梗会在小枝的叶腋处长出来，而且会带着一层短柔毛。刚长出的花序有大苞片包着，形状和叶子差不多，可长3厘米左右。里面还有一层小苞片，长1毫米左右。再里面就是萼状的花筒了，萼齿呈三角状，花蕾就在这里面开出来，像个小木棒，上面粗，下面细，外面黄白色，有时也有淡绿色的。它的花萼很小，裂成5瓣，呈现黄绿色。花开之后像个小筒状，筒壁黄色，花蕊长长的，伸出花瓣外面。等到开花时，我再带你来看。"

"好吧，师傅，您可一定要记得呀。不然，我都没看到过它开花，多遗憾呀。"朱有德哈哈大笑，心想：这个徒弟准能成才，太好学了。

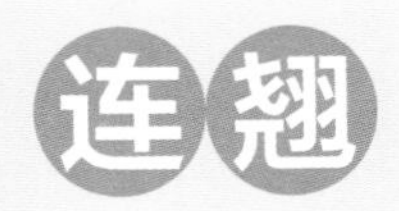

连翘——泻热敛疮的圣药

朱有德带着小神农下山时，在山沟里看到一丛连翘，花朵开得十分旺盛。而且，因为天气暖和，有的叶子也冒了出来。

于是，朱有德问小神农：“你知道这些是什么吗？”

“野花呗，难道也是中草药？”小神农看看这丛植物，发现花很多，叶子却很少。

“这可是清热解毒的大药，叫做连翘。书中说连翘之用有三：泻心经客热，一也；去上焦诸热，二也；为疮家圣药，三也。”

“原来这就是连翘呀。我记得去年我娘牙疼，村里的大夫就给开了叫连翘的药，它原来长这个样子啊。”小神农跑上前去，绕着连翘左看右看。

“你只欣赏花可不行，还要知道它的样子。”朱有德指导着，“连翘是落叶灌木，比金银花开花要早一个月，它的枝丛生，然后向上展开，再向下垂，枝外表为淡黄色，或者棕色，小枝颜色较深，而且有四棱形。”

说着，朱有德剪下一段连翘枝：“你看，它节间中空，在节部有实心髓，对不对？”

“真的呀，师傅，您知道得可真多。”小神农崇拜地看着朱有德。

“只知道这些可不够，你现在只能看到它的一小部分叶子，因为它先开花后长叶。它的叶子都是单叶，状如卵形，长2～10厘米，基部圆形，前端锐尖，叶缘有锯齿状，上面深绿色，下面淡黄绿色，两面无毛。”朱有德摘一片叶子递给小神农看。

“真奇怪，它怎么会先开花呢？”小神农似乎对花更感兴趣。

“花朵也要细看，它虽然小而且多，但都是单生的，花梗很短，花萼是绿色的，裂片为长圆形，有的有锐尖，在边缘处还有细毛。它的花朵分四瓣，雌蕊长，有0.5~0.7厘米，雄蕊短，只有0.3~0.5厘米。”朱有德边拨弄着连翘，边向徒弟讲解。

“它会结籽吗？籽是什么样的呢？”小神农不解地问。

“会结籽，入药的就是果实。不过它要到7~9月才会结果，果实有点椭圆形，不大，在1~3厘米之间，前端有点尖，为长椭圆形，表面的壳有皮孔，里面生有褐色种子。”朱有德回答道。

“只有果实能入药吗？枝条和叶子没有用？”小神农真不明白，

连翘

为什么只有果实才可以入药呢?

“当然不是，陶弘景说过‘连翘处处有，今用茎连花实也’。所以，连翘的根、茎、叶都可以入药。只不过，果实清热解毒的功效更好，特别是连壳带籽的果实，晒干后就是上好的清热中药。”朱有德一一讲给小神农听。

“师傅，哪本书里记载了这些？回头我一定好好背下来，不然会被人笑话的。”小神农认真地说。朱有德听得心里乐开了花，这小徒弟真是人小志气大，居然主动要求背医书了。

蒲公英——除诸毒泻火的黄花

春天的阳光温暖而干燥，朱有德想着是时候炮制一些蒲公英了。于是，他对小神农说："我们今天出去采点儿时令药，以备来日使用。"

"什么时令药呀，师傅？"小神农立刻背起药筐，小跑着跟在朱有德身后。

"它是一种草本植物，根呈圆柱状，入地深长，内有白色乳汁，茎单一，外皮颜色黄棕色。你能猜出是什么吗？"朱有德故意考一考自己的徒弟。

小神农想了半天，不满意地说：“这我怎么能知道呀？您只说了根，又没说叶子什么样。”

“叶子从根部生出，如莲座状，单叶狭长，如披针，带有羽裂，裂片是三角形的，叶子全缘有齿，尖端稍钝，基部有柄，为空心状，表面有细毛。”朱有德盯着小神农，看他有没有认真听。

小神农看了看师傅，说：“我心里已经有几分答案了，不过我需要继续提示。”

朱有德被他逗笑了，又接着说：“它的花茎比叶子短一些，结果时会伸长，上面会有白色的蛛丝状，花序单一呈现，在顶部生长，大概

可长3.5厘米。刚长出的花苞是绿色，慢慢会变成淡红色或者紫红色，前端有白色珠丝状细毛。开花……”

“开花后花瓣开裂成舌状，颜色为黄色，而且雌雄同体，花落之后，就会结出瘦果，棕黄色，还带有细棱纹，中间有刺突出，在尖部生出白色的絮毛状物，是不是？”小神农不等师傅说完，就抢着说，“这个我当然知道，不就是它吗？”

说着，他在路边拔了一棵蒲公英递到师傅跟前：“我说得对不对，师傅？”

“对，对！”朱有德哈哈笑起来，这个小徒弟，太聪明了。

“可是，这种野菜遍地都是，它能用来做什么呀？”小神农马上又问起来。

“当然是入药呀，蒲公英味甘、微苦，性寒，根、茎、叶、花都可入药，可消热解毒，消肿散结。《医林纂要》中记载‘蒲公英能化热毒，解食毒，消肿核，疗疔毒乳痈，皆泻火安上之功’。所以，它的功效非常了不起。”

“师傅，没想到它居然是宝贝呢。”小神农睁着一双大眼睛不敢相信地说，“师傅，我们赶紧多挖一点。”小神农一边说，一边飞快地挖起蒲公英来。

紫花地丁——野生除热凉血药

自从尝到了和师傅一起上山采药的甜头，小神农开始热衷于上山采药了，不仅如此，他每天晚上还要背医药书籍，那份认真让朱有德打心眼里喜欢。

这天下午，朱有德刚刚送走最后一位患者，小神农就跑来了，说：“师傅，今天咱们不上山吗？我都已经准备好了。”

“今天不上山，时间来不及了，去田间转转就好。”朱有德伸伸懒腰，坐了半天了，他感觉腰酸，所以想出去活动活动。

“看来今天没有认识新药的机会了。”小神农小声地嘟囔着。

“那可不一定，田间地头都有中药，只是你不认识而已。”朱有德笑着说。

“真的吗，那我们快点出门吧。”小神农一下来了精神，马上背起了药筐。

师徒二人在田埂上慢慢走着，小神农一会儿看花，一会儿看虫子，远远地将朱有德甩在身后。可没过一会儿，他手里抓着一株野草跑过来，对朱有德说：“师傅，这个草很特别，我觉得它像中药呢。”

朱有德看看野草的植株并不高，15厘米左右，根茎很短，垂直生长，外皮淡褐色，节密，还生有数条细根。再看叶子，为基生，状如莲花座，叶柄比叶子长，叶子为长圆形，前端圆钝，基部楔形，边缘有钝齿，叶子两面无毛。他故作玄虚地说：“咦，这种野草真的很不一般，你是在哪里发现的？”

“就在前面田埂边的小水沟里，那里很湿，您看，我一拔就连根都拔起来了，这说明它很喜欢湿润的环境呢。”小神农跟着师傅已经学习了一段时间，所以也不自觉地开始对植物习性进行研究了。

“嗯，分析得很对，不过它应该有花朵吧？”朱有德诱导着徒弟，让他学习描述植物的外观。

“有的，是紫色的花朵呢，我特意不拔带花的，好让您猜一下是什么植物。”小神农坏坏地笑起来。

“你这个小鬼头，现在难住师傅了，你说说花长什么样子吧。”朱有德故意装作不知道是什么植物。

“说起来，它的花还挺好看的，花淡紫色，底部较深，边缘有点白色，呈渐变状，只不过花梗很细，和叶子差不多高。花苞生于梗端，基部圆形，带有卵状萼片。它的花瓣是长圆形的，花冠外翻，可以看到里面的花蕊，大约2毫米长，蕊端带有1.5毫米左右的花药，花柱就像三角形的棍棒一样。”小神农描绘得又仔细又正确，朱有德听了不由得微笑起来。

“师傅，您也不知道这是什么植物吗？也不知道它到底会不会生出种子来。”小神农一心想弄明白这是什么植物。

“肯定会生出种子来的。它现在刚开花，要到9月份才可以结成长圆形的蒴果。蒴果长5～12厘米，光滑无毛，等到成熟之后，里面就会看到淡黄色的卵形种子了。”朱有德笑着说。

“原来师傅知道是什么呀！您快告诉我，这是什么植物，能入药吗？”小神农这才醒悟，师傅是装作不知道呢。

“它叫紫花地丁，又被人们称为野堇菜，是一种多年生草本植物。不过，真被你说对了，它是一味中药，其味苦、辛，性寒，归心、肺经，用来清热解毒、凉血消肿是再好不过的了。”朱有德耐心地告诉小徒弟。

“我记得《本草纲目》中说‘处处有之，其叶似柳而微细，夏开紫花结角’，说的不就是紫花地丁吗？哎呀，我怎么没想起来呢！”小神农拍着自己的额头，懊悔地说。近日他迷上了《本草纲目》，所以师傅一说植物名，他立刻就想到了。

“就是它。不过它清热解毒虽好，但不适合体质虚寒的人群，这一点也要记住才行啊。”朱有德从心里对这个小徒弟感到满意。

“我知道了，师傅。现在我带您去挖一些紫花地丁，以后就有得用了。”小神农兴高采烈地向前跑去。

——清热入菜的美味药

这天下午，小神农的母亲来看望他，而且还带来了他爱吃的红烧肉。小神农早就想吃了，可刚刚吃过中饭，他只好忍着。

吃晚饭时，小神农坐在桌前，看着红烧肉两眼放光，一个劲地对师傅说："师傅，您快尝一尝好不好吃，我娘烧的红烧肉可香了。"

朱有德笑起来，说："你快吃吧，我早知道你馋了。"说话时，他发现红烧肉中有块状的东西，夹起来尝了一下，原来是山慈菇，便说："你喜欢吃山慈菇吗？"

小神农将一块肉放嘴里，说："以前在家的时候经常吃，不过，

我可不怎么喜欢，老被它噎到。”

“这可不对，夏天、秋天多吃一些，还是很有好处的。”朱有德说。

“为什么？难道它有什么好的功效？”小神农不解地问。

“说得对，它就是一味中药。医书记载山慈菇味甘、辛，性寒，归肝、胃、脾经，可清热解毒，消痈散结。”朱有德又夹了一块山慈菇放进嘴里。

“这么说我以前经常在吃中药呀！”小神农震惊了。

“这有什么奇怪的？我们的一饭一菜，都有药用价值，你慢慢学就知道了。”朱有德说，“你看到过山慈菇长什么样子吗？其实它还能用来作盆景呢。”

“真的吗？听我娘说这东西不好种。它喜欢水，所以我没有看到过种植的，我们吃的都是外地贩运过来的。”小神农早忘了吃红烧肉，已经把精力转向山慈菇了。

“山慈菇可以分为毛慈菇和冰球子两种，不过，都是根茎生长，叶子长得也差不多。它们由根部冒出，柄长，中间有一条凹陷，带糙毛。叶子为单叶片生长，是窄长的圆形，长20～45厘米，宽5厘米左右，与柄相连接的部位变窄，有3条脉。”朱有德告诉小神农。

“那山慈菇是开花后结出的果实吗？”小神农追问。

“那可不是。不过山慈菇会开花，一般它要先从根部冒出长长的花葶，长30～50厘米，然后在下部长出总花序，一次可以开十几朵花，花向一侧下垂，如穗状，花的萼片和花瓣都是披针状，长约3厘米，在花顶部开裂成3瓣，颜色有白色也有紫红色。”朱有德解释说。

“那它不结种子吗？那山慈菇是哪里来的？”小神农更加疑惑了。

“花谢之后，根茎会开始生长，如果是毛慈菇，它就会在地下长出扁圆形的球茎，长1.8～3厘米的样子，中间膨大，顶端突起，在基部成脐状，还有小须根。表面的颜色有点黄棕色，或者是棕褐色，并带有皱纹，中间还有环节。它外皮稍硬，不容易断开，但里面就是我们吃到的山慈菇了。”朱有德说着，又把一块山慈菇放进嘴里。

“哦，是这样呀。那其他品种呢？也都一样的吗？”小神农问个没完。

“冰球子和它略有不同，虽然也是地下结茎，但呈圆锥形，比毛慈菇要小一些，大小2厘米左右。它头部尖，有如盘状，基部大而圆平，中央有下凹。当然，腰部也有环节，上有黄白色的薄皮，剥掉之后，里面就是光滑的了，偶有不规则皱纹。”朱有德说了很多，总怕小神农记不住，所以又说：“等有机会，我们可以去外面找找看，只有亲眼看见了，你才能更了解它。”

“我知道了，师傅！我现在觉得山慈菇比红烧肉好吃，我要多吃几块。”说着，小神农便大口吃起山慈菇来。

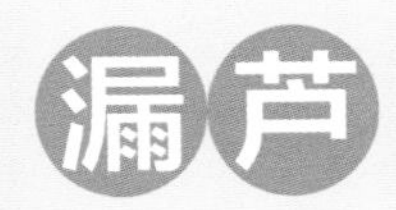

漏芦——寒能除热的入胃药

对于小神农来说，每天都有不一样的收获。有些植物他从小看到大，并没有觉得有什么独特之处，可是被师傅一讲，它们就被赋予了特别的意义。这让他感受到大自然神奇的同时，更对认知中草药产生了浓厚的兴趣。

这天，他和师傅在山脚下寻药，看到沟边长有几株淡紫色的花，便想去采，没想到，手刚伸上去，就被刺得“哎哟”一声。

“怎么了？”朱有德连忙问。

“师傅，这个花茎有刺，扎到我的手了。”小神农小心地将花摘下来，看到花茎上果然有很多毛糙的短刺。

朱有德看了看，却笑着说：“这不是刺，这是它的短毛，新生出来时还是软软的呢。”

“那这是什么花呢？感觉长得像个小花球。”小神农拿着花看来看去。

“它就是我们常用的漏芦呀，又叫狼头花。为多年生草本植物，分为祁州漏芦、禹州漏芦两个品种，其实长得都差不多，根茎粗厚，主根圆形，茎直立，上面会生有密集的绵毛，老了之后，就有些扎手了。”朱有德说。

“那不同的品种怎么分辨呢？”小神农非常好学，提的问题总是恰到好处。

“分辨时可以从花期、叶子等方面确认，一般祁州漏芦的叶子带有基生长柄，柄长6～20厘米，上面有绵毛，茎叶为椭圆形，长12～25厘米，宽5～10厘米，边缘全裂，裂片为羽状，叶面上下都有蛛丝状茸毛，比较粗糙。你看，你手里拿的就是祁州漏芦了。”朱有德指着那叶子让小神农看。

“禹州漏芦和它长得不一样吗？”小神农边看边问。

“差不多，也是茎直立，不分枝，茎上有白绵毛。不过禹州漏芦的叶子上部小，下部大，仿佛一个倒圆形，叶二回分深裂，叶面上没有毛，下面有毛，最主要的是边缘有小刺。”朱有德解释道。

“两个品种都会开花吗？样子应该不一样吧？”小神农追问。

“对，稍有区别。祁州漏芦会在5～7月开花，6～8月结果；但禹州漏芦要晚一些，每年7～9月才开花，10月左右结果。祁州漏芦的花就像你看到的这样，单生于茎顶，总苞如同钟状，多层，带有干膜质附片，外层短如卵形，中层宽似掌状，内层就像披针形，有尖尖的头。花朵上方会扩张成圆筒形，前端有5裂，花药聚在中间，子房在下面，花柱露在外面。”朱有德拿着祁州漏芦，细细分析给小神农看。

“禹州漏芦的花呢？”小神农又问。

“禹州漏芦为复头状花序，形成一个圆球形，不大，约4厘米，外面的总苞片有硬毛，内部形状如同小勺，前面尖，外边缘有睫毛。它的花冠如同筒状，但筒部为白色，子房如同倒钟形，有茸毛。”朱有德一边说一边思索，心想，这个小徒弟，问题太多了，如果不是自己看书多，恐怕真会被他难住呢。

“那结的果实会一样吗？”

“两种漏芦都会结瘦果。不过，祁州漏芦的果实是圆锥状，有四棱，为棕褐色，上面有刚毛。而禹州漏芦的果实是圆形的，颜色为黄褐色，带一层柔毛。”说完，朱有德暗自擦了擦汗。

“哦，这样我就知道了，以后我看到禹州漏芦也能认识了呢。”小神农点着头说。

“其实，你想分辨漏芦，看我们店里的药就可以了，它们可是有区别的。”朱有德引导着小神农。

“难道说成药后的漏芦也会因为品种不

同而有所区别吗？”小神农果然聪明，师傅的一句话就让他想到了这个问题。

“当然有区别，祁州漏芦晒干后，切成片，外皮灰褐色或者棕黑色，表面有网状的裂纹，而且有时还会有浮皮，比较脆，内心呈灰黑色或者棕黑色，最主要的是它的味道特别臭。”朱有德停一停，以便于小神农记住，“禹州漏芦外皮灰黄色，有纵皱纹，顶端还会有丛生的硬毛，不过它很坚硬，不易折，内心为黄黑相间的菊花纹，细闻也没有臭味。你回家去闻一闻，就明白它们的不同了。”

“嗯，我回家一定要好好做功课。那我们现在就采一些祁州漏芦回家吧！”小神农爽快地说。

“先不急，你问了这么多，知道漏芦的功效吗？”朱有德也要考一考小神农，故意问道。

“这个我肯定知道，这几天我都在背药性书呢。漏芦味微咸，性寒，有小毒，归胃、大肠经，它可以清热解毒、消痈下乳、舒筋通脉。《本草经疏》中说‘漏芦，苦能下泄，咸能软坚，寒能除热，寒而通利之药也’。”

小神农对答如流，乐得朱有德频频点头，夸赞说：“用不了几年，师傅就可以一心养老了。”

——不开花的生肌敛疮药

朱有德家的小院子里种着两棵冬青树，树虽不高，但却常年绿油油的。每到天气晴好时，朱有德就会采一些叶子晒起来。

时间长了，小神农就开始对师傅的做法好奇起来。这天，看朱有德又在收集冬青叶子，他就问："师傅，您每天收集这些叶子做什么？"

"傻孩子，这可是中药呢，冬青学名四季青，味苦，性寒，最能清热解毒，生肌敛疮，你都忘了？"朱有德说。

“我还没背到这一章呢……”小神农不好意思起来。

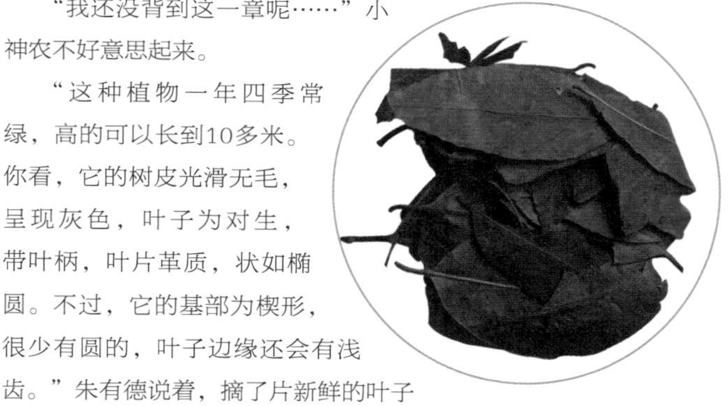

“这种植物一年四季常绿，高的可以长到10多米。你看，它的树皮光滑无毛，呈现灰色，叶子为对生，带叶柄，叶片革质，状如椭圆。不过，它的基部为楔形，很少有圆的，叶子边缘还会有浅齿。”朱有德说着，摘了片新鲜的叶子下来，指给小神农看，“瞧，叶面上面是深绿色的，很有光泽，叶片下面灰绿色，无光。到冬天的时候，叶子会变成紫红色，中脉在下面隆起。”

“四季青不开花，怎么繁殖呢？”小神农自从来到师傅家，就一直看它绿油油的，可从来没开过花。

“谁说它不开花的？每年5月它就会开出花来，你肯定没注意。它的花为单性，雌雄异株，花序长在叶腋外，花朵淡紫色，有4个花萼，4个花瓣。不仅如此，花谢之后，还会长出椭圆形的核果，但很小，仅4~6毫米，里面有4颗内核，到10月份成熟。你看，这不就是果实吗？”朱有德从树叶中找出一颗很小的果实，指给小神农看。

“我第一次看到它呢，是用它入药吗？”小神农兴奋地说，他伸手想摘下来，但没够着。

“你太小看它了。它的根皮、叶子、种子都是可以入药的，不然我为什么会经常采集叶子呢？”

“哦……”小神农恍然大悟，笑着说，“我以后可不敢小看它了，真是棵好树呢。”说着，他也帮师傅采起树叶来。

乌蔹莓——消肿解毒佳品

每到盛夏，朱有德总是喜欢把收藏的好药、医书等搬出来晾晒。这天太阳很大，天空没有一丝风。于是，吃过早饭，他就招呼小神农往外搬药材，他自己则细细整理那些古旧的医书。

朱有德一边晒一边翻，忽然长长地叹了口气。小神农不解地问：“师傅，您为什么要叹气呀？”

“你看，好好的书都被老鼠咬了，以后想要给你看，都有些麻烦了。”说着，朱有德将一本中医书递给小神农看。

“这些老鼠真可恶，为什么要吃书呢。师傅，您看这页就剩下几

个字了，这样我不是没法读到这味药了吗？”小神农翻到靠后的一页，只见书上写着“乌蔹莓，味苦、酸，性寒，无毒，清热利湿，解毒消肿……”后面都被老鼠啃完了。

“真是可惜了，这后面记载的是它的样子。”朱有德抚摸着医书，爱惜地说。

小神农想了想，就说：“师傅，您能背诵这味中药吗？不如您说给我听，我把它记下来，以后我读起来就不会有障碍了。”

“好主意，快去拿纸笔来。”朱有德笑着说，“还是你比师傅聪明呀。”

小神农拿了纸和笔，对师傅说：

“师傅，您说，我来记，刚好可以让我背一遍。”

朱有德点点头，说：“乌蔹莓是多年生藤本植物，枝蔓可长达3米，为圆形，上面有纵棱纹，初生枝会有柔毛，变老后消失。”

小神农一边默读一边记到纸上。朱有德接着说：“卷须2～3叉分枝，每2节有间断，叶子为对生，状如鸟足，5片复叶，小叶是椭圆形，2～4厘米大小，侧生小叶基部楔形，前端变尖，边缘有锯齿，带小叶柄，长2～10厘米。”

朱有德停下来看小神农记得对不对，小神农字迹工整，飞快地记完了，还不停地催促着：“师傅，快说呀。”

“嗯，再就是它的花了，乌蔹莓花序腋生，为复二歧聚伞状花序，带有13厘米左右的花梗。开淡紫色小花，花萼呈碟形，边缘为波浪状，带有浅裂，花瓣是三角状，外面有乳突状毛，花盘较大，可分成4个浅裂。”

“既然开花，那肯定会结果实的。”小神农一边写，还一边念念有词。

“当然会结果实，它的果实是紫蓝色的浆果，不大，为1厘米左右的圆球形，里面会有2～4颗种子。种子呈倒三角形，腹面两侧有下凹。怎么样，都记下来了吗？”朱有德问。

“是这样子吗？我可一个字都没有漏掉。”小神农把纸递给朱有德。

“嗯，不错不错，可以夹到书中去了，以后你背到乌蔹莓只能看它了。”朱有德看了一下，便又着手去收拾其他书籍了。

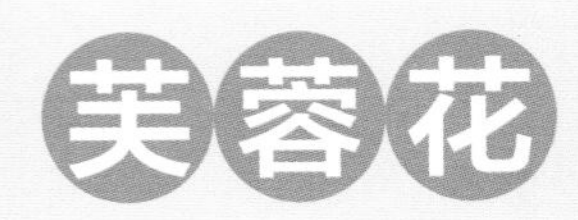

——排毒凉血的木芙蓉

小神农跟着朱有德学医已经3个多月了，这段时间里，他不但认识了很多中药，人也变得结实起来，小脸被太阳晒得黑黑的。不过，上山依旧是小神农最喜欢的事。一边呼吸着新鲜空气，一边听师傅讲各种草药，对他来说就是一大享受。

这天，朱有德在前面走，小神农跟在后面，边走边和师傅聊天：“师傅，您怎么会知道这么多中药，我感觉都快要记不过来了。”

“所以要多看，多听。我跟着我师傅学习的时候，可是花了3年时间才分清一半以上的药物的。”朱有德说的是实话，中草药种类浩瀚无穷，想要一一都记下来，难度可想而知。

正说着，他看到前面有一株木芙蓉树，虽然还没到开花时节，但茂密的叶子非常显眼，就说："你看，这里有一株木芙蓉，它也是一种中药呢。"

小神农一听，立刻跑过去看。只见植株细长，小枝、叶柄上都有细绵毛覆盖，叶子很大，为纸质，形状如同圆形，但有开裂，呈三角状，前端变尖，带有锯齿。

"师傅，这种花我以前见过，可真不知道它也能入药。"小神农想起来，自己家的山后就有

很多这样的花，要到秋天才能开花。

“它是落叶小乔木，冬天会死去，第二年在根部再萌发新枝。叶子下面带有密密的茸毛，很容易被吹落，你摘一片看看。”朱有德说。

小神农随手摘下一片看了看，果然如同师傅所讲的。朱有德又说：“它的花都是单生的，在叶腋间，花梗的长度有5～8厘米，上面也有细毛。开花时有8个小苞片，线形，带有密集的绵毛，基部合生，萼片钟形，分5裂，花朵未开时如卵状，初开时呈白色或者淡红色，慢慢会变成深红色。它的花瓣呈现圆状，外面还有被毛，在底部带有髯毛。”

“师傅，我看到过它的果实，像个扁扁的圆球，上面还有黄色的小毛毛，里面有小颗粒的种子，如同猪肾的样子，不过在背面还长着小柔毛呢。”小神农抢着说。

“真不错，观察得很仔细。不过，你知道它的药效吗？”朱有德问。

“这我倒不知道，我一直以为，它就是一种花，没什么药用价值的。”小神农挠着头，嘿嘿地笑了。

“以后再遇到花草，都要先问一下：这种花有没有药用价值呢？因为大自然赐予我们的很多植物，都是带有药效的。就比如这木芙蓉，它清热解毒、消肿排脓、凉血止血之效非常高，是真正集药用、观赏功能于一身的植物呢。”朱有德慈爱地说。

“师傅，我记住了。以后我也要像您一样，什么植物都能认识，还能说出它的样子、功效来。”小神农握着小拳头，神情坚定。

“好，有志气。”朱有德脸上浮起了满意的笑容。

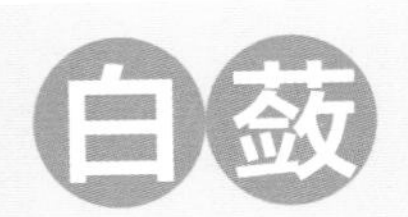

白蔹——泻火散结的白根

天气越来越热，相比之下，山上倒变得凉快起来。所以，朱有德在不忙的时候，都会带着小神农上山，算是一边乘凉，一边教导徒弟学习。

小神农在山上不但学得开心，玩得也很开心，一会听鸟声，一会看花草，有时还能摘个野果吃吃。这不，走了半天，他早口渴了，正在山林里找野果子呢。

走着走着，他就发现在树林下有一簇簇的小黄花，它的枝蔓细长，分成多枝，上面很光滑的细条纹，是淡紫色。

小神农想：师傅说看到不认识的植物要观察植物的样子，再追究

它是不是有药效。这种植物叶片对生，有卷须，叶柄呈淡紫色，还有细毛。它的叶片有羽状分裂，裂片为椭圆形，边缘有锯齿，中间的裂片最长，两侧较小，中轴还有闲翅。样子是看得很清楚了，可是它叫什么名字呢？

就在小神农想得出神时，朱有德走过来，问：“在想什么呢？”

“师傅，我看到了不认识的植物，虽然观察得很仔细，可还是不知道它叫什么名字呀，怎么办？”

“那是你大脑中缺少书本知识呀，你不但要观察植物，还要与脑海中的知识对应才行，所以师傅才让你多背医书嘛。”朱有德呵呵笑起来。

“哎呀，那要到什么时候我才能把书都背完呀？师傅，您快告诉我这是什么植物吧！”小神农着急地说。

“哦，这个是白蔹，又叫白根，很多见啊。”朱有德看看那丛植物，才说道，“现在它才开小花，你看花序为聚伞状，花序很小，花梗细长，可缠绕。花朵也不大，有5个花萼，5个花瓣，还有5个雄蕊，花盘边上是开裂状的。等到这些花都谢了，也就开始结果了，果实为浆果，球形，白色或者蓝色都有，在表面有针孔状的下陷点。”

“这能入药吗？有什么功效？”小神农着急地问。

“它本身就是药，但入药的是根部。根上有粗壮的块茎，呈卵形，也有长圆形的。一般一棵白蔹下会结十来个根茎块，上面带有细须根，将它们洗净、切片、晒干就可以入药了。白蔹味苦、甘、辛，性凉，归心、肺、肝、脾经。《本草备要》中说‘泻火，散结苦能泄，辛能散，甘能缓，寒能除热。杀火毒，散结气，生肌止痛’，说的就是它了。”朱有德说。

“原来它是清热解毒、散结止痛的好药呢。那我们现在就挖一些吧。”小神农说着就要挖白蔹，朱有德却连忙阻止他：

“现在可不能挖，白蔹每年春天、秋天才会结出根茎，现在刚开花，根茎还没长好呢，挖开了不是浪费掉了吗？”

小神农听完师傅的话，小脸儿一下变红了，说：“我真粗心，差点犯错了。”

“没关系，学习的过程都是这样的，慢慢你就会懂得越来越多了。快去采野果吧，师傅都口渴了。”朱有德温和地拍拍小神农的头说，小神农答应一声，欢快地跑去采野果了。

——夏季肺热最堪用

夏季就是雨多，一大早小雨就下个不停。小神农想，今天肯定不能出去采药了。可就在这时，他突然听到师傅在叫自己。他连忙跑到药堂，问：“师傅，您叫我？”

“小神农，今天下雨，患者少，而且出门也凉快，我们到山脚挖点鱼腥草怎么样？”朱有德说。

“鱼腥草？是有鱼腥味的草吗？它能做什么？”小神农一听名字就来了好奇心。

“嗯，差不多是这种味道吧。它虽然味道不好闻，但在夏天可离不了，因为它味苦、辛，性微寒，归肺、膀胱、大肠经，能清热解

毒、通尿利淋，最适合治疗夏季肺热喘咳、热淋、湿疹等症呢。”朱有德说。

“真的？那我们快出门吧。”小神农也顾不上路滑了，拿了油纸伞就和师傅出门去了。

师徒二人一边走，一边说话。朱有德说：“《名医别录》你读到哪里了？鱼腥草还没有读到吧？”

“昨晚刚开始读，师傅，我前天把《本草纲目》的前三章又温习了一遍，不然记不住。”小神农无奈地说。

朱有德点了点头，“嗯，就是要经常温习才行。”

“鱼腥草长什么样子？到哪去找呢？”小神农一心惦记着找鱼腥草。

“书中说‘生湿地，山谷阴处亦能蔓生’，所以我们要去平日湿润的地方寻找才行。”说着，他们向山沟下坡处走，朱有德继续给小神农讲解：“鱼腥草是多年生的草本植物，高30～50厘米，茎直立生长，茎表紫红色，下部匍匐生长，在节上有小根，叶子互生，纸质，背面腺点很多。它的叶子如同阔卵形，基部心形，全缘无齿，背面有掌状叶脉，紫红色。”

“师傅，这就是鱼腥草吗？”小神农突然叫起来，朱有德回头一看，果然在沟边有一小片鱼腥草，自己刚刚只顾着说话，竟然没注意到。

“对，这就是鱼腥草了，你闻闻气味。”

“真是不好闻。”小神农摘了叶子，一闻便扭开头，说，“不过，它的叶柄上是光滑的，在下部还有叶鞘呢。”

“看看还有没有花，它是5～6月开花的。”朱有德并不急着挖鱼腥草，而是让小神农仔细观察。

“师傅，这里有一朵小白花呢。”小神农立刻就发现了叶片中的小花。

“花朵是什么样子？”朱有德引导着小神农观察。

“它的花序与叶子对生，为穗状花序，长2厘米左右，总花苞分成4片，生于花梗顶端。花瓣长圆状，有3个雄蕊，花丝很长，还有3个雌蕊呢。师傅，它会结出果实来吗？”小神农细细地观察着。

“会的，要到10月左右才会成熟。果实为球形蒴果，很小，只有

2毫米左右，成熟后自然开裂，里面除了多枚卵状的种子，还有宿存花柱呢。”朱有德给小神农补充道。

“没想到这样的草也是好药。师傅，路滑，您在一边看着，我来挖就好。”说着，小神农便卖力地挖起鱼腥草来。

——利水消暑的绿豆汤

自从入夏之后，朱有德经常用绿豆煮粥，但每次都不让小神农多喝，说：“每天一碗就够了，不可以多喝。”

其实，小神农很喜欢喝绿豆汤，所以就忍不住问师傅：“为什么不让我多喝两碗呢，我知道绿豆可是清热解毒的好东西。”

朱有德一听哈哈地笑起来：“难道你还要找师傅理论药物功效不成？不让你多喝自然是对你有好处的。”

“究竟是什么好处呢？我真的想不明白。”小神农噘着嘴，不高兴地说。

“你先和我说说绿豆长成什么样，有什么药性？”朱有德故意引导小神农。

“这可难不住我，在家时我总帮着我娘摘绿豆角呢。绿豆是一年生草本植物，茎高50～80厘米，茎短坚硬，为绿色或者棕褐色。三出复叶，互生，有小叶柄，叶片为卵形，基部圆形，两面有硬毛，纸

质。绿豆会在6～7月开花，花萼如钟状，4个萼齿，花朵为绿黄色，10个雄蕊，子房无柄，有密长硬毛。对不对，师傅？”小神农一口气将绿豆的形态特征都说了出来。

“不完全。”朱有德说。

“哦，对了，花谢后它会结长条荚果，长6～8厘米，初生绿色，成熟后变黑色。里面有长圆形的种子，也就是煮粥用的绿豆粒。现在对了吧？”

“那么它的功效呢？这你可没说。”朱有德加重语气。

“我刚才已经说了，可以清热解毒，利水消暑，所以我们夏天才喝绿豆汤呀。”小神农得意地说。

“但是，绿豆性寒，属凉性药食，脾胃虚寒、虚弱者须忌食。你年纪小，肠胃虚弱，多食就会引起肠胃的不适。用药怎么可以只重功效一面，而忽略了它的弊端呢？”朱有德看着小神农。

“我……”小神农这才明白，原来师傅不让自己多喝绿豆汤是关心自己的身体呢。他不好意思地低下头去。

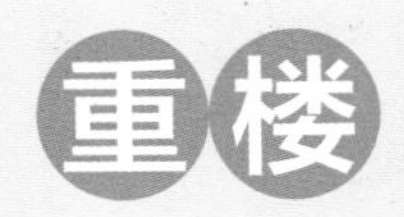

——苦泄解毒之品

说起小神农学医，可没有那么简单，平时除了采药、背医书之外，包药、打扫卫生、整理药箱等事情也都是他要做的。不过，这并没有难倒小神农，他每天整理药箱的时候也会学到很多知识。

一天下午，他正在给药箱添药，当加到重楼时，立刻就想到了什么，问朱有德："师傅，它既然叫重楼，这药为什么不是叶子不是花，却是片状呢？"

"那是因为它的根茎才是入药部分呀。"朱有德被小神农逗笑了。

"那它长什么样子？我知道重楼又叫七叶一枝花，它是不是真的有七片叶子和一朵花呢？"小神农想不明白，这个药名真是奇怪呀。

"这可不完全正确。重楼又叫白河车，为多年生草本植物，它的根

茎粗壮，圆柱状，带有环状结节，颜色棕褐色，上面还有须根。从根茎长出紫色叶柄，可高50～100厘米，叶子在茎顶轮生，有7～10片，为长圆形，基部圆形，前端变尖，全缘，叶面无毛，为绿色。”

“那花呢？花开在哪里？”小神农连忙追问。

“花就开在茎顶，它的花梗细长，可高达30厘米。花外轮有4～6个萼片，如叶子的形状一样，也是绿色的，内轮花瓣呈线状，前端尖锐。它有8～12枚雄蕊，花丝、花药同长，花柱为紫色，4～6枚。”朱有德娓娓道来。

“会结果吗？”

“会呀，7～8月开花，9～10月结果，果实为球形蒴果，成熟后裂成3～6瓣，里面有多颗种子，它的样子真的很好看。”朱有德说。

“那我们什么时候去采重楼呢？”小神农真想看看这种中药的模样。

“那可不容易了，因为它多长于温暖的湿热地带，我们这边很少见。”朱有德笑着说。

“真可惜，我连它的样子也看不到了。”小神农失望起来。

“可是，你能用到它的根茎呀，所以还是要把药效了解清楚才行。”朱有德摸了摸小神农的头，算是安慰他。

“这个我懂，重楼味苦，性凉，归心、肝、肺、胃、大肠经，败毒清热、消肿止痛。我看《本草正义》中说，它是苦泄解毒之品，能清解肝胆之郁热，利水祛湿。”小神农经常清理药箱，所以对常用药也开始熟悉起来。

朱有德听着他流利的回答，不断点头，心想：收到这样的徒弟，真是省心省力呀。

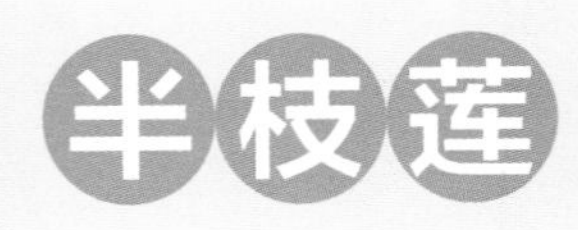

半枝莲——活血散瘀有如太阳般温暖

朱有德是远近知名的中医，所以，每年总会有药商给他送一些不错的中药。今天就是这样，吃过午饭，小神农正在树阴下看书，就有一个上了年纪的老人走进来。

“小伙子，朱大夫在不在？”老人拿着草帽，笑着问。

“我师傅在睡午觉，您有什么事吗？”小神农站起来。

“快去告诉他一声，别睡了，我给他送好东西来了。”老人呵呵笑着，在院子里的石凳上坐下了。

小神农还没进屋，朱有德早从里面走出来，说：“你一进门我就听到了，怎么，今天又收到什么好东西了？”

“哈哈，真的是好东西，保证你需要。”老人说着便走出门去，不一会，就推了好大一车干草一样的东西进来。

小神农立刻跑上前去：“这是什么药？”他拿起一根，看到全草连根也带着，已经晒干了，主茎带着暗紫色，有明显的四棱，轻轻一折就断开来。他又闻了闻，有微微的苦味。

“这可是上好的半枝莲。”老头乐呵呵地说。

“半枝莲？这是什么药？”小神农还是第一次听说呢，好奇心又上来了。

“这就得问你师傅了，它的作用大着呢。”老人说。

“师傅，您快给我讲讲，什么是半枝莲呀。”小神农跑到朱有德跟前。

“半枝莲又叫太阳花，或者金丝杜鹃。它全草都可入药，其味辛、苦，性寒，归肺、肝、肾经，最能清热解毒、活血祛瘀。”朱有德笑着对小神农说。

“太阳花？杜鹃花？那它的花到底长成什么样？这草上也没有呀。”小神农开始在那车草药中翻找。

“不要翻了，把药都弄坏了。它的花既不像太阳也不似杜鹃，生于茎顶，为对生，总状花序下部有苞叶，花梗不长，带有微毛，花萼长2厘米左右，外面脉络处有柔毛，带有分裂，裂片也会长小毛毛，花冠基部增大，呈二唇形，颜色淡蓝紫色或者棕黄色。”朱有德说。

“这算什么太阳花、杜鹃花呀？不过我看到它的茎上有棱形，这应该不是压出来的吧？”小神农摆弄着一枝药草问。

“对，它的茎为四棱形，不分枝，或者有小分枝，叶对生，叶柄1～3厘米长，叶子如卵形，也有披针状，前面尖，后面有楔形。叶子边缘带有浅齿，叶面上为深绿色，下面则带些紫色，中间有叶脉隆起。全草看上去还是很好看的，不过很易折。”朱有德耐心地解释。

“这草上并没有种子，它不结果

吗？”小神农又发现了新的问题。

“每年5～10月为它的花期，6～11月都会结果，是很小的扁球形坚果，褐色，上面还有小疣状的凸起。你仔细看看，这药草上应该会有的。”朱有德边说边指给小神农看。

“师傅，您为什么不带我去采半枝莲呢？我都看不到它新鲜的样子。”小神农不满起来。

“这可不容易，它喜欢阳光，长在平坦的沙土上，这边不多见。下次让这位大叔给你带棵新鲜的来看看就行了。”朱有德笑了。

“这没问题，不就是新鲜半枝莲嘛，下次我带给你看。”老人拍着胸脯爽快地说，三个人全都笑起来。

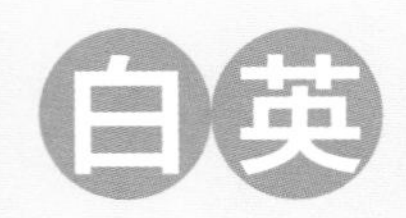

白英——祛火利湿的药材

因为天气不好，小神农已经有段时间没上过山了。这天早上，朱有德说：“天放晴了，我们应该去山上看看有没有新的药材啦。”

小神农立刻高兴地跳起来，说：“太好了，我天天背书，脑子里都迷糊了。”

师徒二人一前一后地走着，走上山坡时，小神农说：“师傅，我们太长时间没上山了，怎么山也变得和以前不一样了呢？”

“因为我们换了一个方向上山呀，当然会不一样。”朱有德被小徒弟的天真给逗笑了。

“大山可真神奇，不但每一面的风景不一样，连长的东西也不一样。师傅，您快看，那串野果好红呀，真好看。”小神农指着向阳的山坡处说。

“走，过去看看，可能是好东西呢。”朱有德顺着山坡走过去。

小神农就发现，这种野果的叶子很有特点，本为长圆形的对生叶，却被分为3个深裂，两侧裂片小，带有钝尖，中间裂片很大，如同椭圆形，前端很尖。而且，叶子两面都长有柔毛，白白的很光亮，可以看到面片上的叶脉，有5～7条。

“师傅，这是什么植物？果实又圆又红，还成串生长，会不会很甜？”小神农问。

“我看看，这倒是一株不错的白英呢。”朱有德围着白英转了一圈说。

“白英？怎么还有这样的中药？”小神农满脸疑惑。

“它是草质藤本植物，可以长到1米高，茎和小枝上都有柔毛，主茎上的叶子有分裂，但小枝上的却是心形，你仔细看看。”朱有德说道。

“真的是这样，我刚只看到大叶子有分裂呢。”小神农听师傅的话，认真观察起来。

“它不但果实好看，开的花也很好看。花序于腋外或者顶部生长，聚伞状，花梗长2厘米左右，覆有长柔毛，花顶端膨大，基部有关节，花萼为环状，5枚萼片，无毛，呈圆形，带小尖头。花冠藏在萼内，冠檐长6.5毫米，带椭圆形裂片，颜色为蓝紫色。这些小花远远看上去一小串，很是淡雅。”朱有德说。

“确实很漂亮，不过它的果实更艳丽些。”小神农摘了串果实，很想吃一颗。

“这是它没成熟的样子，所以是红的，等到成熟后，就变成红黑色了。要到秋天才能成熟，里面会结扁平的种子。现在可不能吃，又酸又涩。”朱有德说着，从小神农手里把果实拿过来。

“可是，它是用果实入药还是用叶子呀？”小神农吐吐舌头，不好意思地笑了。

“全草包括根部都能入药，地上部分味甘、苦，性寒，可清热解毒、消肿利湿，根部性平，味苦，可祛火。它的果实性平味酸，用来明目很理想。”

“哇，白英真的全身都是宝。师傅，这株草药我们先不采，等到深秋再来连根挖起来吧。”小神农现在已经学会如何最大限度地利用中草药了。

“这次可不对，我们应该用地上部分，根部就让它明年再发，才更好呢。”朱有德说着，已经动手剪枝了。

小神农也连忙动手，嘴里还叫着：“师傅，这是我看到的，您就让我自己来剪吧。”

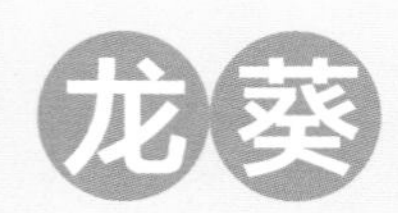

龙葵——外科清热的良药

吃过晚饭，朱有德看看天色还早，就带着小神农出去遛弯儿。两个人一边走一边说话，小神农问：“师傅，为什么我们自己每天采药，还要买人家送的药材呢？”

“我们每天采的这点药太少了，不够用，而且品种也不齐，所以遇到好的药材，还是要采购才行。”朱有德在前面走，看到远处一座庭院边长了很多绿色植物。

“那我们为什么不自己种药，如果我来种，一定种得很好。”小神农信心十足地说。

“你知道药有多少品种？《本草纲目》中的药你数过有多少味吗？这些你都能种得过来吗？”朱有德说着，已经蹲在那些绿色植物前。

小神农挠一下头皮，不好意思地说：“师傅，我又说大话了。”

“以后一定要戒骄戒躁，为医者怎么可以总说大话呢？”朱有德教导着小神农，“你看，这是什么草？”

“咦，他家怎么种了药材？”小神

农立刻来了精神。

“这是什么药材呀？有什么用途？”

小神农怕自己说错，先仔细观察这些植物。植物全高大约有1米，茎直立，有多个分枝，叶子是互生的，如同心形，边缘少有分裂，但有点波状齿，前端尖锐，基部楔形。

这些植物有的还开着花，有的已经结了果实，花序如同蝎尾状，侧生于花梗上，都是4～10朵丛生在一起，花很小，花萼像杯子的形状，分成5个浅裂，绿色。花冠白色，也有5裂，辐射状，裂片如同三角形。

“师傅，这是龙葵，对不对？”小神农一下想起自己看的医书，“《本草正义》中说，龙葵可以吃也可以直接敷，清热解毒、通利消肿，并可治疗跌打血瘀，是清除外科之热的良药。”

“有进步，这就是龙葵，其味苦、微甘，性寒。”朱有德夸奖道，“你看，它的球形浆果现在是绿色，颗粒很小，但成熟后就会变成紫黑色，并可以产出很多颗种子。种子如同卵形，压扁的样子，捣碎后也可以入药呢。”

“师傅，龙葵我们总可以种一些吧，您看人家种得不是挺好的嘛。”小神农还惦记着种药材的事。

“这是野生的，田间地头都有，为什么还要花力气种植呢？每年采全草晒干、切片，就可以直接入药了，不是更轻松？”朱有德站起身往回走，心里想，小神农的固执劲一定要好好改造才行。

“好吧，那以后遇到少见的，我们再种吧。”小神农失落地站起身，随师傅回家去了。

蛇莓——龙吐珠赶走肺热

对小神农来说，秋天上山是最理想的，不但可以收获很多，而且能吃到不少甜味的野果。只不过，他偶尔也难免会犯错，因为很多野果并不能食用。

有一次，朱有德与小神农上山，走了半天，小神农又渴又饿，问："师傅，您不饿吗？"

"你饿了是不是？那我们现在就下山，走吧。"朱有德体谅地说道。

小神农跟在师傅身后，无精打采地走着。突然，他脚下被什么东西一绊，一下扑倒在地上，忍不住叫着："哎哟！"

朱有德连忙回过身来："快起来，扭到脚没有？"

"好像没有……咦，师傅，这里有草莓呀。"小神农一眼就看到了脚边红艳艳的"小草莓"，"我先吃一颗，解解渴。"说着，他摘下那果实就往嘴里送。

朱有德手疾眼快，一下把小神农手里的野果打在地上，说："不要乱吃，这不能吃的。"

"师傅，这就是草莓，没有毒的。"小神农分辩着。

"这是蛇莓，与草莓可不一样。它又叫蛇泡草，或者龙吐珠，是一种草药，味甘、酸，性微寒，果实有小毒，误食会腹胀，知道吗？”

“啊？这不是我们吃的草莓呀？我说怎么长得这么小呢。”小神农这才仔细看它的样子。

“当然不一样，这是多年生的草本植物，茎细长，匍匐生长，节处有根，你看是不是？”朱有德趁机教小神农辨认起来。

“是的。它的叶子是三出复叶互生，小叶如同菱状卵形，边缘有钝齿。”小神农拿着叶子说。

“叶柄上有白色柔毛，它的花就在叶腋边长出来，带一个长梗，花朵有5个萼片，还有5个副萼片，有缺刻，比萼片要小一些。花瓣也是5个，黄色的，如同卵形，偏生在花托上。”朱有德总是把看不到的地方说出来，以方便小神农记忆。

“师傅，它现在是不是不开花了，怎么找不到？”小神农看了半天，也没找到花。

“它在4~5月开花，现在早谢了。不过，果实你看到了吧，是如同海绵质的红色瘦果，上面还有小毛刺，和草莓类似，所以才被你当成草莓了。”

“师傅，其实细看它和草莓有点不一样。它个头小，而且圆圆的，我是饿极了，才以为是草莓呢。”小神农终于发现了它与草莓的不同之处。

“我们倒是可以挖点回家晒干备用，它归肺、肝、大肠经，清热解毒、消肿凉血功效很不错呢。你摔了一跤，却摔出一种草药来，也算值了。”朱有德打趣地说，小神农则不好意思地笑了。

白花蛇舌草——益三经之热的中药

虽然小神农学医已经有一阵子了，认识的草药也越来越多，但对于一些少见品种还是一无所知。

这天，他走在师傅前面，一边哼着山歌，一边四处张望。走了半天，他也没发现有价值的东西，就说："师傅，我们今天走的是山坡的阴侧，这边草药少。"

"可是，很多药就喜欢这样的环境呀。"朱有德可不着急，山坡那么长，山沟那么多，丰富的采药经历告诉他，每一个角落都有可能藏着惊喜。

果然，他才走了几步，就被一团小叶的绿草吸引了目光，他蹲下身去仔细观察起来。小神农也跑过来看那团绿草。它非常普通，细细的枝蔓扭结在一起，茎有点扁圆形，光滑滑的，有很多分枝，叶子很小，长度1～3厘米，如同披针形，没有叶柄，为对生，叶面上是光滑的，下面却很粗糙，而且侧脉也不明显。

“师傅，这是什么草？是中药吗？”小神农歪着头看向师傅。

“它叫白花蛇舌草，是一年生草本植物，在这边很少见呢。”朱有德拔起一根，便连着很多枝都被提起来。

“你看，它的小花或单生，或对生，花梗短粗，花萼如球形，有四裂，裂片为圆形披针状，边缘有睫毛，这白色的花冠，就像个漏斗，到尖端裂成4片，雄蕊与花冠的裂片成互生状，还带有扁状花丝，像不像蛇的舌头？”朱有德一一指给小神农看。

“真的很像呀。那它的种子会不会像蛇产的蛋？”小神农高兴地说。

“那可不像，不然不是要叫它蛇蛋草了？”朱有德笑了，接着说，“它6～9月开花，8～10月结果，果实是扁圆的，大概有2厘米长，室背开裂，与花萼宿存。等到果实成熟，里面就会生出细小三棱形的种子来，颜色为棕黄色。”

“那它有什么奇怪的呢？为什么很少见呢？”小神农不明白，为什么师傅对它这么感兴趣。

“这种草味苦、甘，性微寒，归心、肝、脾经，能清热解毒、消痈散结。最主要的是，这种草在我们这一带很少见，因为它多长于南方地区。”朱有德解释道。

“哦，我们可真幸运，还能发现这么少见的中草药呢。”小神农这才明白过来，不禁又独自感慨起来。

凤尾草——清热利湿的鸡脚草

小神农还在睡梦中，就被院子里的声音吵醒了。他迷迷糊糊地爬起来，走到院中一看，原来师傅弄了好几个花盆，正在往里种一些绿色的植物。小神农立刻问："师傅，这是种的什么？"

"它呀，叫凤尾草，集观赏与药用于一体，种在盆里，可以随时备用。"朱有德笑着说。

"凤尾草？这不是我们常说的鸡脚草吗？"小神农认识这种草，在山坡、石缝都有生长呢。

"是呀，它有很多名字，但药用名为凤尾草。全草都可以入药，味微苦，性凉，归肝、肾、大肠经，可凉血止血、清热利湿、解毒消

肿。”朱有德一边种着凤尾草一边说。

“这也能入药吗？我经常看到，可一直都不知道。”小神农说着，走上前去，细细看那些凤尾草与自己常见的药物有什么不同。

“不用好奇了，它就是你经常看到的鸡脚草。茎藏在地下，叶子由茎上直接长出来，为丛生状，高的达30～50厘米，叶柄长短不一样，长5～23厘米，颜色灰棕，无毛。叶片为羽状分裂，可裂成3～7对羽片，呈长带形，边缘有小锯齿。”朱有德说着，将一株凤尾草伸到小神农眼前，“你看，它的叶片上面是绿色，下面是淡绿色，两侧还有波状皱纹，是不是非常好看？”

“这种草又不开花，只能看叶子，有什么好看的呀？”小神农真不明白，师傅为什么说它好看。

“虽然它不开花，但它叶片边缘下侧会生孢子囊群，成熟后有孢子产生，也一样可以达到传播、生长的目的。这种嫩绿色的叶子，配以漂亮的石头，摆在院中，多有生机呀。”朱有德将花盆搬到石桌上，左看右看。

“这么说，以后需要清热解毒的药时，只要采它的叶子就好了？”小神农问。

“这可不能乱用，还是要对症才行，体质虚寒的人群是不可以使用的。其实，这种药有它的好处，可以煎药内服，也可以用鲜品捣汁，或者外用贴敷，你说简单不简单？”朱有德问。

“师傅，经您这样一说，我倒发现它实用大过好看了，我可要好好照看它。”说着，小神农便帮师傅浇起水来。

猪殃殃——牙龈上火就找它

“师傅，什么是猪殃殃草呀，我都看了半天了，还是没有找到。”小神农围着田埂转来转去，师傅让他找猪殃殃草，这还是头一回听这个名字，可把他给难住了。

“这可是很好找的草，田间很多见。”朱有德坐在远处，眯着眼睛看小神农到处转。

“它长什么样呀？我看到过没有？”小神农开始动脑筋来了解猪殃殃草的外观了。

“它呀，是一种草本植物，为蔓生，长得不高，多在30～90厘米，茎上有4棱，棱、叶缘、叶脉上都有倒生的小刺，你可以用手摸着找。”朱有德说。

“可是，它的叶子什么样？是绿色吗？”小神农觉得有刺的植物太多了，这范围太大，不好找，便继续问。

“当然是绿色的，叶子为6～8片轮生，如同长圆的披针状，近膜质，没有茸毛，全缘。”朱有德细心给小神农讲解，他认为这样让徒弟自己按样子找出草药来，他会记得更牢。

“您还没告诉我它开不开花呢。开什么花？什么颜色？”小神农干脆坐在地上，准备稍作休息。自己可真笨，不问明白它长什么样就到处找，怎么可能找得到。

“当然开花呀，3～7月都是花期，4～11月都会结果。它的花序聚生于顶，花梗很细，花很小，一般4朵长在一起，花萼有1脉，边缘有钩毛，花冠是黄绿色，也有白色的，如同辐射状，在前端开裂，呈长圆形。结出的果实多是两个连在一起，很小，5毫米左右，果壳坚硬，果柄很粗，里面会有一颗扁平的种子。”

“现在我知道了，我在那边的田埂好像看到过。”小神农说着，就朝田埂跑去。果然，不一会儿他就握了一大把猪殃殃草回来。

“师傅，我找的对不对？”小神农气喘吁吁地说。

“对，就是它。”朱有德眯着眼睛笑了，心想这个方法真不错。

“可是，它有什么用呀？”小神农感觉这种草太常见了，作用应该不大。

“猪殃殃草味苦、辛，性凉，用于清热解毒、利尿消肿效果良好。如果你热感冒了，或者牙龈上火，用它煎点水喝就好了。”朱有德说着站起来，“走吧，今天的功课完成了，师傅带你吃饼去。”

“哦，今天可以吃饼了！”小神农一下跳起来，一路小跑着回家去了。

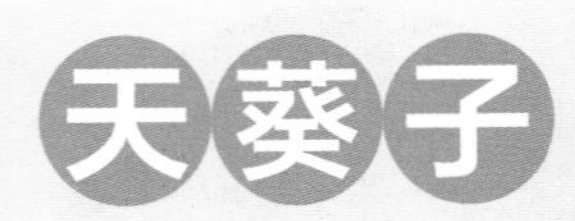

天葵子——定惊解毒的千年老鼠屎

这几天患者比较多，小神农一直没有机会上山。中午的时候，师傅正给患者看病呢，卖药的张大爷又来了，说：“小神农，你师傅呢？”

“我师傅正忙着呢，张大爷，您先坐会儿。”小神农懂事地给张大爷倒了杯水，问：“这次您又送什么药来了？我认识吗？”

“这就要看你的知识量了，我这次送的是千年老鼠屎。”张大爷笑呵呵地说。

“什么？老鼠屎？还是一千年的？”小神农震惊了，这能是药吗？他便问，“张大爷，您让我看看这药是什么样子行吗？”

“行，你看吧。”张大爷将身边的一个大袋子搬到桌上，打开来给小神农看。小神农只看到一块一块或椭圆或纺锤形的根茎块，扭扭曲曲的，颜色暗褐，而且很粗糙，上面有不规则的条纹。他轻轻掰开一块，很脆，里面有点木质黄色。

“张大爷，这是老鼠屎吗？明明就是植物根茎呀。”小神农可以断定，张大爷肯定是搞错了。

“这就是你不懂了，不信问你师傅你就知道了。”张大爷逗着小神农。

这时，朱有德从房间走出来，见张大爷笑得正开心，就问：“小神农是不是又出洋相了？”

“你这徒弟精着呢，可不是那么容易被人骗的。”张大爷呵呵地笑起来。

“师傅，张大爷说这是千年老鼠屎。我刚才仔细看过了，就是植物的根茎，是他搞错了。”小神农把那根茎拿给师傅看。

“你呀，那些医书要好好看了。《本草纲目拾遗》中不是有记载吗？千年老鼠屎，学名叫天葵子，味甘、微苦，性寒，有小毒，归肝、脾、膀胱经，药方中用它清热解毒、平喘、定惊。”朱有德看了看那些天葵子，对张大爷说：“质量都很不错，现在难得收到这样好的药了。”

“原来是天葵子呀，我现在知道了，我早在书中读过。天葵子长得不高，茎长10～30厘米，块根生长，茎直立，可长1～3条茎，表面有白色柔毛。只不过，我不知道它就是千年老鼠屎呀。”小神农嘛着嘴说。

“这么说，你看到过天葵子？”张大爷问。

“没有，师傅好像没带我采过这种药。”小神农立刻看了师傅一眼。

“傻孩子，这种药在我们这里很少见，多长在偏暖地区。说起来，也容易辨识，它的叶子是三出复叶，有3~12厘米长的叶柄，叶子如同肾形，长1~3厘米，很小，边缘有开裂，多为3个深裂，裂片又可分成2~3个圆齿状缺刻裂，叶面两面无毛，下面多有紫色。”朱有德抚一下小神农的头，坐在桌边的石凳上。

“它开花吗？会不会结果？”小神农追问。

“会开花，一般花朵为黄色，花序单歧或者二歧，花梗不长，有白色柔毛，苞片有3个开裂，萼片5个，与花瓣形状相似，为椭圆形。花朵是两性同体，直径4~6厘米，花柱很短，向外卷。花谢之

后就会长出蓇葖果，表面还有脉纹，前端尖细。等到成熟，里面有很多黑褐色的种子，如同卵状，长1毫米左右。”

“师傅，为什么我们山里没有这样的草呢，我真想看一看。”小神农很不满意，感觉自己见识得太少了。

“一种药物也只习惯一种环境，所以不同的地方才会长出不同的药来呀。”朱有德说。

“小神农，不要和你师傅学医了，和我去采药吧，我能带你去看天葵子呢。”张大爷逗着小神农。

“我才不要，难道您比我师傅懂得还多吗？我可不相信。”小神农一句话，把两个大人惹得哈哈大笑。

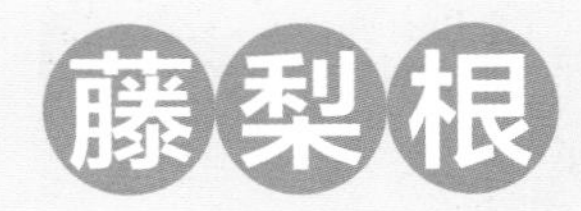

藤梨根——清净全身痹痛痈疮

朱有德家的后院种着几棵大的藤梨树，虽然它结的果子酸涩，并不实用，但朱有德却一直养着。小神农就很不理解，说：“师傅，这种树有什么作用吗？”

朱有德笑着说：“你看着它没什么特别的吗？”

小神农非常聪明，只要师傅提问的，里面肯定有玄机，所以他围着树转了一圈。树已经长得很高，树枝光滑，呈现灰褐色，嫩枝上面有少许灰色的柔毛。

他拉着一根树枝看那叶子，发现是互生叶片，叶片纸质，卵圆形，前端尖锐，基部呈现心形，边缘有锋利的齿状，叶脉还有点淡

棕色。

看了一遍，小神农可以确定，这就是一棵普通的树，便说："师傅，虽然我没看到过它的花，但吃过它结的浆果，是长圆形而且光滑，只不过有些酸，没什么特别的，它的叶子也不像能入药的样子。"

"嗯，它的花也没什么特别的，就是聚伞花序，3～6朵丛生，雌雄异株，花朵白色，有5个萼片，边缘还有毛。"朱有德故意说得很平淡、简洁。

"是呀，难道您是说它的花是药材？"小神农开始后悔没注意观察

它的花了。不过，这种树6、7月间开花，9月结果，现在已经看不到花了。

“我可没说它的花有什么特别，因为它的根才特别呢。”朱有德看着小神农一脸的懊恼，忍不住笑起来。

“根？难道它的根是药？”小神农不解地问。

“当然，只不过现在不能挖，要等到深秋或者冬天才可以。”朱有德说着回屋去，从药盒里拿出几片圆形的片状药材，递给小神农，“你看这是什么？”

小神农细细看那药片，圆柱形的外表，略带弯曲，直径3～5厘米，颜色为灰红色，细看里面有小细孔。小神农用手摸了摸，很坚硬，但很容易折断，再闻闻味道，散发着淡淡的涩味。

“师傅，您可从来没告诉我这是什么。”小神农被师傅戏弄了，有点不开心。

“这就是藤梨树的根了，学名藤梨根，它味酸、涩，性凉，可以清热利湿、解毒消肿，治疗风湿、痹痛、痈疮等症都离不开它。”朱有德这才揭晓答案。

“呀，我现在明白了。它的根默默地在地下，不但长出果子给人们食用，还能入药，真是太伟大了。”小神农从此对这几棵树格外上心，经常给它们浇水、施肥。

白毛夏枯草——专清肝火的散血草

天气很热，可是小神农却似乎忘了炎热，蹲在地上，看着几株草出神。朱有德从远处走过来，问："小神农，你又看到什么好东西了？"

"师傅，这种草好像就是《本草纲目拾遗》中说的金疮小草。书中说高一二寸许，如荠叶短，春夏间有浅紫花，长一粳米，是不是就指这种草呢？"小神农说。

朱有德看了一下，全草长10～30厘米，茎方形，基部匍匐，分枝很多，带有白色柔毛，单叶对生，呈长椭圆形，前端尖，基部楔形，边缘还有粗齿，叶子上面绿色，幼叶下面发紫，两面都覆有柔

毛。便笑着说："说得没错，这就是金疮小草，又叫散血草，它药名为白毛夏枯草。"

"可是，我没有看到它的小花呀。上面这是结的果实吗？灰黄色的，还有皱纹。"小神农说。

"因为它在3～4月开花，现在当然看不到了。它的花朵是多轮集于枝顶，呈穗状花序，苞片叶如卵形，萼片如钟状，有5齿，三角形，上面还长有白色柔毛。花冠为淡紫色，偶尔也有白色，二唇形，内有柔毛，这灰黄色的就是它的果实了。"朱有德解释着。

"这么说，我真的认对了，是吗，师傅？"小神农兴奋起来，这可是他自己第一次单独找到一种药材呢。

"对。可是，你知道它的功效吗？"朱有德故意考小神农。

"这个我知道，《本草纲目拾遗》中说它是专清肝火的药物，因为它味苦、甘，性寒，善清热消毒，散血软坚。"小神农回答得头头是道。朱有德忍不住笑起来，看来，这点小问题如今已经难不住这孩子了。

——消肿止痛的小花朵

小神农认为，夏天上山采药是最美好不过的事了，虽然太阳大，可是山上凉快，而且又是植物生长最旺盛的时候，可以看到各种不同的景致。现在，他走得两腿发酸，正坐在一堆野花里自言自语呢：“小花儿，你们的命可真好，每天有风儿陪着，还有阳光照着，多自在呀……”

“小神农，你在干什么？快过来看看我找到的新药。”朱有德在山坡上叫他。

“来了，师傅，您找到了什么新药材啊？”小神农一听师傅又找到新药了，一下就跳了起来。

“我找到的是点地梅，它生命力强大，而且药性很强，是极好的清热解毒中草药。”朱有德也顺势坐了下来。

“点地梅？我来看看。”小神农心想，既然叫点地梅，开的花一定像梅花一样。可是，他在植物上并没有看到花。这种植物的枝茎上长着细柔毛，叶子为基生，贴在地面上，叶柄长1～4厘米，上面也覆有柔毛。叶子为卵圆形，前端钝圆，基部呈浅心形，边缘带有三角状的钝齿，叶面上下同样长有柔毛。

不过，小神农发现了它的果实，是2～4厘米长的蒴果，前端裂成5瓣，带有白色的膜质。

“师傅，我们来晚了，它的花早谢了，都结果了。”小神农遗憾地说。

“点地梅4～5月开花，现在已经是结果期了。它的果实成熟后会长出很多种子，是棕褐色的长圆状，很小，还带着网纹。不过，点地梅开花确实很好看，而且开起来一大片，非常壮观呢。”朱有德说。

“它的花什么样子呀？是不是像梅花？”小神农一脸好奇地问。

“嗯，真是有一点像。它们开花时，就会在叶丛里长出一枝花葶，花序就长在顶端，结成披针形花苞，外面包着柔毛，花萼如同杯状，同样被柔毛覆盖，萼片分裂，呈菱状卵圆形，上面可以看到3～6条纵脉，花朵盛开时，如同星状展开，5个长圆形花瓣，花冠白色，也有淡紫色或者淡粉色，喉部黄色。”朱有德望着点地梅，就仿佛真的看到了花朵盛开的样子。

“师傅，我觉得那样开一片，肯定非常好看，明年您可一定要记得提醒我来看一下。”小神农向往起来。

“这还不简单，明年我们可以来采点草，回家炮制药材。”

“为什么不现在采呢？”小神农疑惑不解地问。

“点地梅一般都是清明前采收全草，晒干使用，它味苦、辛，性微寒，归肺、肝、脾经，用作清热解毒、消肿止痛的配药非常好呢。”朱有德说完，从地上站起身来，又向着山坡上走去。

一枝黄花——风热感冒最好用

小神农早就发现，山脚下的树林边长着很多高高的植物，而且一年当中，它有大半年都在开黄色的花。虽然它比较单调，但有时小神农看到特别茂密的一丛，又觉得很可爱。所以，他问朱有德："师傅，您看这种黄花可真多，如果能入药，可就方便多了，每天都能割一大车。"

"这个呀，它叫一枝黄花，又名金柴胡，或者朝天一柱香。本身是具有药性的，医书中记载，一枝黄花味苦、辛，性凉，归肺、肝经，用于疏风清热、解毒消炎。如果是风热性感冒，用它煎水就可以治疗。"朱有德说。

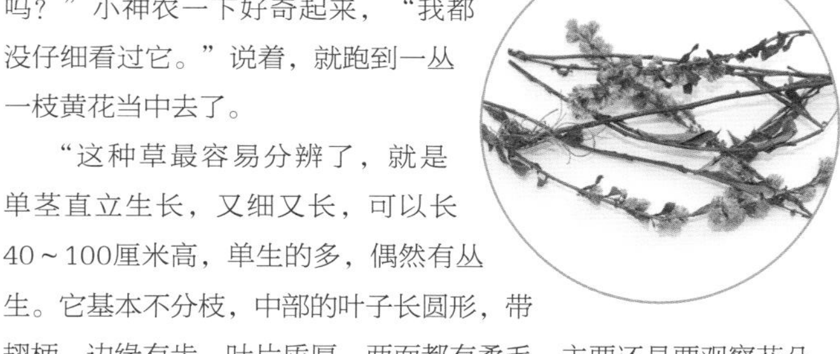

“真的是药呀？那我们可以采一些吗？”小神农一下好奇起来，“我都没仔细看过它。”说着，就跑到一丛一枝黄花当中去了。

“这种草最容易分辨了，就是单茎直立生长，又细又长，可以长40～100厘米高，单生的多，偶然有丛生。它基本不分枝，中部的叶子长圆形，带翅柄，边缘有齿。叶片质厚，两面都有柔毛。主要还是要观察花朵，因为一年中的4～11月它都在开花呢。”朱有德也走过去，他希望小神农能把所有带药性的植物都记下来。

“师傅，它的花序很小呢。”小神农站在花丛里说。

“对，它们长6毫米左右，宽9毫米左右，多数都是排列在总状花序上的，有时也会结成复头状花序。”朱有德找了一朵复头状花序的给小神农看。

“它的花苞有好几层，是披针形的，头部很尖，花片是舌状的，细看还挺好看的。”小神农举着花说，“师傅，它这么小的花，会结果吗？”

“会的，开了花之后会结3毫米左右的瘦果，在尖端带有柔毛，里面是小颗粒的种子，被风一吹就散开了。”朱有德发现，小神农又进步了，观察植物已经开始注重细节了，“好了，小神农，看你头上都是花屑，快点下山回家了。”

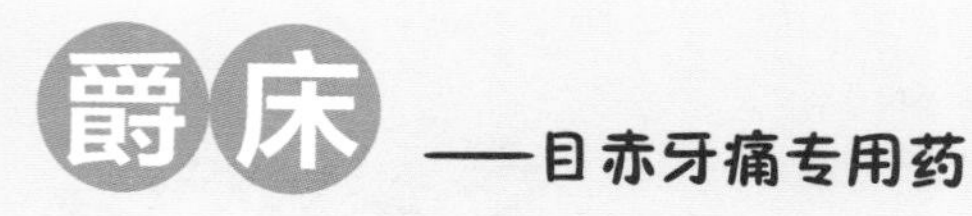

爵床——目赤牙痛专用药

这几天天气炎热，很多人吃、穿无度造成肠胃寒、热等症。一连两天了，朱有德都忙着给患者看病，完全没时间上山。

小神农在一边看师傅给人看病，可时间一长，他就感觉无聊了。趁着中午师傅在休息，他一个人偷偷跑去山上转了一圈，回来的时候已经是下午两点多了，满身是汗。不过他很高兴，因为他觉得自己给师傅带回了实用的药物。

“师傅，您看我发现了一处香薷生长地，有好大一片啊。”小神农将一棵他所说的“香薷”递给师傅看。

朱有德看了一眼那棵草，叶子对生，长圆形，前端尖锐，基部宽

楔，叶片两面都有硬毛，叶柄很短，也有硬毛包裹。它的花为穗状花序，生于茎顶，小苞片2个，总苞片1个，为披针形，边缘有毛。花萼4片，线形，带有膜质和缘毛，花冠是粉色的，二唇形，下唇有浅裂。

“你这是在野草丛中找到的吧？而且它茎基为匍匐状生长，有短小的硬毛包围，是不是？”朱有德问。

“您怎么知道的？它们就在野草堆里，不仔细看可不容易发现呢。”小神农惊奇地说。

“这也不怪你，你如果看到它的果实就知道它不是香薷了。这种草的果实会结长0.5厘米左右的蒴果，成熟后，于上部生出4粒种子，下面为实心状，种子表面带有皱纹。”朱有德将那棵草放在一边。

“这不是香薷呀？那是什么？”小神农不好意思起来。

“它叫爵床，《本草纲目》中说过，‘原野甚多，方茎对节，与大叶香薷一样，但香薷搓之有气香，而爵床搓之不香微臭，以此为别’。你闻闻味道看是不是这样。”

小神农马上搓了几下，一闻果然有微微的臭味，他一下把那棵爵床扔到地上，嘴里叫着：“呸呸呸，真臭，我被骗了。”

“你可不应该把它扔了，这也是一味好药呢。”朱有德说。

“它也是药？”小神农一听，马上又把那棵爵床捡起来。

“当然，爵床全草可入药，其味咸、苦、辛，性寒，归肺、肝、

爵床

膀胱经，可活血止痛，散热清毒，治疗感冒发热、咽喉肿痛、目赤牙痛等症都很有效。”

“哎呀，原来我误认为它是香薷，没想到却是另一种中药。师傅，回头我带您去采吧，我发现了好多呢。”小神农一下又兴奋起来。

这时，门外已经有患者在候诊，朱有德说：“快开门接诊吧，患者都来了。”小神农收拾起自己拔回来的爵床，一溜小跑着开门去了。

白头翁——止热解毒常见药

一大早，朱有德就坐在磨石前，用心地磨着药铲。小神农从房间走出来，看到师傅在磨药铲，就知道又要上山了，便问：“师傅，今天要去找什么药？需要挖根是吗？”

“对啊，我们要去挖白头翁，这个季节刚刚好呢。”朱有德笑着说。

“哦，这个我这知道，书中说白头翁二月采花，四月采实，八月采根，所以现在我们只能挖根了。”小神农摇头晃脑地说着。

“不过，白头翁的品种很多，不知道你是不是都分辨清楚了。”朱有德故意为难小神农。

“师傅，咱们这里只有一种白头翁，其他的我都不知道。”小神农立刻就老实了，对于药的知识，他可从来不马虎。

“走吧，一边走一边说。”朱有德背起药筐走在前面，小神农紧紧跟在后面。

“白头翁是宿根草本植物，田间、野坡都有，喜欢向阳的环境。它的根为圆锥形，有纵纹，长有白色柔毛，主根粗，外皮有点黄褐色。”朱有德一边说一边走，很快，他就发现了田间的白头翁。

“小神农，你看。认识它的根，要先认清地上部分，我们这边都是这种白头翁，叶子基生，开花时从地面长出3片叶子，全裂，叶面上长着柔毛，叶片如宽卵形，等到老了之后，毛就落了。”朱有德将叶子递给小神农看。

“师傅，叶片中间的深裂片是卵形的，有的还带锯齿，两边的裂片却是浅裂，它们都是分成3个裂片的。”小神农细看那叶子。

“对，叶子长出后，花很快就会长出来，是与叶子基部合生的。花葶长3～10厘米，花序顶生，花苞3片，外面有柔毛，花朵萼片6个，排成两轮，为蓝紫色，外面也带柔毛。花朵有短梗，它是雌雄同花的，但看不到花瓣，雄蕊多，雌蕊少。”现在已经没有花朵，所以，朱有德只能仔细讲给小神农听了。

“师傅，这长得瘦瘦的，密集成头状，头部带小毛毛的是果实吗？”小神农问。

“嗯，不错，这就是白头翁的果实，它的顶部有羽毛状宿存花柱，可长3～6厘米，正是因为它这银丝状的宿存花柱，才有了白头翁这个名字。”

“可是，其他品种的白头翁和它长得不一样吗？”小神农想起师傅说白头翁有好多个品种，就问。

“其他还有细叶白头翁、蒙古白头翁、兴安白头翁，以及钟萼白头翁等品种。它们的枝叶都相差不多，不过细叶白头翁和钟萼白头翁是叶2～3回羽状复叶。另外，它们的根小有区别，所以，一般通过根来分辨更容易。”朱有德说。

“根有什么不同呢？不都是圆柱形的？”小神农想不明白，叶子、花朵相同，可是根却不同，真有意思。

“我们看的这种就叫白头翁，它的根比较硬脆，头部大，有时会有分叉，在顶端还会有鞘状叶柄，表面黄棕色，皮部易脱，气味微苦。”说着，朱有德已经挖出一段根递给小神农。

“那其他品种呢？”小神农看了一下，果然如师傅所说。

“细叶白头翁的根就要细一些，没有分枝，而且皮部也不会脱落。蒙古白头翁根细而且短，直径在0.5～0.8厘米，很少有分枝。兴安白头翁的根是细长型，长度可达到16厘米，但支根少。钟萼白头翁的根最小，很细，直径只有0.5厘米，但支根细长。它们要是摆放在一起，便会一目了然。”朱有德大致将它们的不同点讲了讲。

“白头翁有这么多品种，它们的药性都一样吗？”小神农追着问，他觉得这白头翁品种太多了，让人头晕脑乱的。

“其实，白头翁基本的性味都是苦寒，归胃、大肠经，这就可以起到清热解毒、凉血止痢的作用，夏天用它燥湿杀虫也很有效。”

“师傅，这品种太多了，我还是先记白头翁这一种吧，反正药性是差不多的。”小神农马上动手挖起白头翁的根来。

——可解心·肝肾热的五行菜

雨过天晴的午后，朱有德在自家小园子里打理草药。小神农帮着师傅拔野草，一边拔一边说："这些野草可真讨厌，一点用也没有，还拼命长。"

他的话把朱有德逗笑了，说："哪有没用的生命，野草也各有作用呢。"

"可是这种草能做什么？您看，一下雨它就长得特别旺，还成片的长。"说着，小神农铲下一株红梗的野菜。

"我认为你应该把它们收集起来，晚上我们就可以做包子吃了。"朱有德说。

“这又不好吃，还有些酸味，在家的时候，我娘就做过。不过，师傅，这叫什么名字呀？我娘说叫长命菜，为什么要叫长命菜呢？吃了它能长寿吗？”小神农问个没完。

“它确实叫长命菜，或者长寿菜，学名马齿苋。”朱有德看着小神农，似乎意有所指。小神农当然明白师傅别有意图，他立刻思考起来。

没一会儿工夫，他马上拍一下头，笑着说：“我知道了！《本草经集注》中说过，‘马齿苋，其叶青，梗赤，花黄，根白，子黑也，又名五行草’！”

“对呀，现在知道它为什么叫长命菜了吧？”朱有德问。

“嗯……书里说它是一味中药，其味甘、酸，性寒，归心、肝、脾、大肠经，可利水去湿，清热解毒，散血消肿……”小神农在师傅的启发下，马上记起了关于马齿苋的所有内容。

“那你还说它没用吗？”朱有德故意说。

“嘿嘿，师傅，我现在觉得它可爱多了，您看它全株铺散在地面，无毛，分多枝，圆柱形的茎枝光滑饱满，而且暗红色的茎枝也很好看。”小神农拿着马齿苋细细看起来。

“它的叶子才有特色，叶片互生，呈倒卵形，扁平肥厚，如同马的牙齿，上面是绿的，下面却是暗红的。最主要的是，它还会开出淡黄色的小花来……”朱有德还没说完，小神农早抢过话头去了：

“我看到过它的花，没有花梗，在中午的时候才开呢，苞片和叶子差不多形状，萼片对生，绿色的，有如一个头盔，在背部突起。花

瓣也是倒卵形，有8个雄蕊，花药和花瓣同为黄色，子房无毛，花柱为线形。”

“那它的种子呢？你注意过没有？”朱有德改说教为提问。

“我真的观察过，是小球形的蒴果，里面种子很小，黑褐色，还挺亮的呢，就是表面有凸起的小疣状。”小神农认真地说。

“那现在还不快收集一些马齿苋，晚上我们也吃一点，刚好清热利湿了。”朱有德说。

“好的，师傅，我们也可以晒一些，留到冬天再吃。”小神农一边说着，一边飞快地拔起马齿苋来。

鸦胆子——除痢清热有绝招

一眨眼，小神农学医已经5个月了。天气入秋，朱有德便开始延长他背诵医书的时间，所以减少了上山的机会。

为此，小神农十分着急。这天，他正拿着书在院子里转，张大爷又来送药了。一看到他，就问：“小神农，今天怎么没上山啊？”

“师傅晚上要检查《药性论》，我还没背完呢。张大爷，您这次又带什么药来了？”小神农想，反正上不了山，看看草药也好呀。

“嗯，这次的药，估计你也不认识，难怪你师傅要让你背书呢。”张大爷坐下来说。

“您瞧不起我，我现在已经认识很多药了呢，不信您拿出来考我。”小神农不服气地说。

“这可不是我小看你，不信你就自己看。”说着，张大爷将一个背包打开，里面都是黑乎乎的颗粒状果实，而且已经晒干了，表面灰黑，带有不规则的多角形网纹，在底端有一个凹陷的果柄痕。

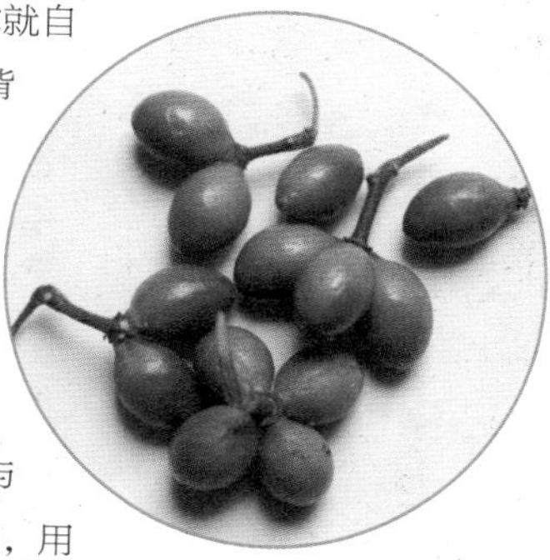

小神农知道，这肯定是果实与柄连接的地方。他又拿起一粒果实，用力剥开来，发现皮壳硬而且脆，壳内为灰红色，很光滑，还带有油润感。壳内有黄白色的种子，长圆形，很小，只有0.3～0.5厘米大小，外皮带一层抽皱的薄膜，富有油性。

这下小神农不说话了，心想：“这是什么果实呢？我怎么没见过？”想着，他又闻了下，好苦的味道。

“怎么样？小神农，我没骗你吧？”张大爷在一边看到小神农一脸的困惑，就知道他不认识了。

“张大爷，这是什么药？我真的没见过。”小神农放下刚刚的骄傲，诚恳地问张大爷。

“这个可就要问你师傅了，具体我也说不清楚。”张大爷冲着房间里说，“有德，你赶紧来给小神农解释一下吧。”

朱有德从房间里走出来，笑着说：“你教教他又有什么关系，难道还怕我不管饭不成？”惹得张大爷哈哈大笑起来。

“师傅，这是什么药？”小神农马上走到师傅身边去。

“喔，这是鸦胆子，又叫苦参子，其味苦，性寒，有小毒，是清

热燥湿、解毒杀虫的好东西，治痢疾一绝。”朱有德看看那些药，满意地坐了下来。

“我怎么没见过呢？咱们这边的山上有吗？”小神农着急地问。

“这还真没有，它是一年四季常绿的大灌木，可以长到3米高呢。全树都包着一层黄色的柔毛，叶子互生，为单数羽状复叶，可以长10～30厘米，带一个长柄。小叶对生，如披针状，前端尖，基部楔形，有的两侧还不对称，边缘有三角形的粗齿。叶子两面不一样的颜色，上面绿色，下面淡绿色。”

“我看它的果实很硬很脆，里面还油油的，那开什么样的花呢？”小神农很想知道这样的种子是如何长出来的。

“它每年3～8月开花，花序为聚伞状，腋生，雌雄异株。一般雄花序大，可以长30厘米，雌花序相对小一些，可以长18厘米左右。其实花很小，雄花有4个萼片，4个花瓣，都为披针形，围着花盘生长。雌花的萼片是三角形的，4个花瓣为长圆状披针形，子房由心皮组成，花柱下弯，花的颜色是红黄色的，一枝花序就是一串花，很艳丽。等到花谢了，也就长出核果来了，就是你看到的这种果实。”朱有德详细地解释道。

“哇，真有意思，我要是能亲眼看看树和花就好了。”小神农听得都惊呆了。

“这种树在温暖的地方比较多见，海南、广西才产呢，我们这比较少见。”朱有德边说边站起来，“快把药收起来吧，小神农，我今天要请你张大爷吃顿好的。”

“是，师傅，我去帮着师娘做饭。”小神农欢快地放好药，到厨房帮忙去了。

橄核莲——感冒发热的克星

秋天的山与夏季别有不同，小神农一上山，就感觉到了丝丝寒意，说：“师傅，在山下不觉得冷，可是山上格外凉。”

“所以夏天的时候山上也凉快一些呀。”朱有德一边说一边向前走，“快走几步，慢慢就暖起来了，在山上可不能少动。”

“师傅，前面有个山窝，我们在那歇会吧，我现在又冷又累。”小神农看着师傅，“为什么我比您容易累呢？”

“因为你人太小了，耐力不足。”朱有德笑起来，和小神农朝山窝窝里走去。

没想到，小神农刚走到近前，就看到一丛绿油油的植物，长得很是茂盛。他仔细看，植物茎直立生长，分多枝，并带有四棱，节稍

膨大。叶子是对生的，如卵状矩圆形，长而窄，前端尖，基部楔形，全缘，带有浅波状。叶子上面深绿，翻过来却是灰绿色的，可以看到侧脉。

“小神农，我们居然发现了好药。”朱有德惊喜地说。

“师傅，这是什么药？它有什么好处啊？”小神农可没感觉有什么不同，就是野生植物而已。

“这种植物叫橄核莲，又名一见喜，或者穿心莲。其味苦，性寒，归心、肺、大肠、膀胱经，清热解毒作用强大，感冒发热、口舌生疮、咽喉不适都可以用它消炎止痛呢。”朱有德怎么也没想到，这个地方居然长着这么一大片橄核莲。要知道，这可是南方才多见的药材。

“师傅，您快看，它们还有果实呢。”小神农惊叫起来。

“这不奇怪，橄核莲是8～9月才开花的，所以现在刚刚结果。”朱有德说。

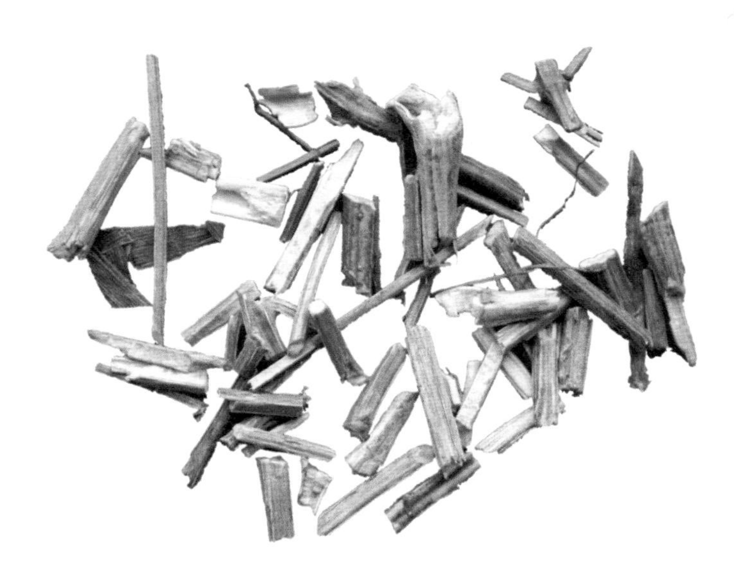

“它们的花是什么样子的？可惜我们来晚一步，看不到了。”小神农惋惜地说。

“它的花很有特色，为圆锥花序，顶生，花萼分5个深裂，外面长有腺毛。花冠是淡紫白色的，二唇形，上唇外弯，有两个齿裂，下唇直立，分3个浅裂。药室也一大一小，大的有髯毛，花丝一侧还有柔毛。”

“它是用果实入药吗？我看果实是长圆形的，两侧还有压扁状的痕迹，中间一条纵沟。”小神农找着果实问。

“不，橄核莲全草都可以入药，今天我们算是丰收了。”朱有德笑着说。

“师傅，多亏我累了，不然我们可就错过这个地方了呢。”小神农自己也笑起来。

小飞蓬——治疗肠炎痢疾功效强

随着季节的转变，田野已经被染上一层淡淡的黄色。农作物成熟了，田野间飘着淡淡的收获气息。小神农跑在朱有德前面，欢快地吹着手里的白毛毛植物。

“师傅，还是蒲公英有意思，您看都秋天了，它还在开花，而且它结出来的种子还是毛毛状的，一吹便飘得到处都是。”小神农高兴地说。

“这可不是蒲公英，不要乱给植物取名字，会被人笑话。”朱有德说。

“那它叫什么？我一直以为是蒲公英呢，我感觉它们长得差不多。”小神农停下脚步，好奇地问师傅。

“这种草是一年生或者越年生的杂草，名叫小飞蓬，每年6～9月开花，10月种子才会成熟，也就是你吹的白色毛毛了。”朱有德说，“你看它的茎可比蒲公英高多了，高的能长到1米呢。而且它的茎粗糙，带有细纹，叶子是互生的，叶柄很短，叶片又窄，如同披针状，边缘有小锯齿，带着睫毛，和蒲公英可不一样呢。”

“真是这样的，我居然没仔细看。不过，小飞蓬这个名字真好听，如果可以入药就好了。”小神农叹了一口气。

“每天让你背书，你总嫌烦，现在不懂了吧？小飞蓬本来就是一味中药，它又名鱼胆草，味苦、辛，性凉，可以清热利湿，解毒消肿，能治疗肠炎、痢疾、跌打损伤等症。”朱有德说着，拔了一棵给小神农看。

“你看看它的花，和蒲公英一样吗？它的花序有短梗，为圆锥

状，总苞是半球形的，有2～3层苞片。只是花瓣与蒲公英相似，为舌状花瓣，边缘有膜质，但小飞蓬的花是白色或者带紫色的，而蒲公英则是黄色的。”

“我还奇怪它们的颜色不一样呢，原来是这样呀。”小神农指着茎端的长圆形瘦果说，“这是它的果实吧？上面长一层污白色的毛，和蒲公英也差不多。”

“对，这就是果实。它成熟之后，就会开裂，然后种子分散为球状，风一吹便可以四处传播了。”朱有德又摘了几株大的放在药筐里。

小神农知道，师傅这是要炮制中药，于是，他卖力地采起小飞蓬来。

鸡眼草——拔毒止痒的满天星

小神农还发现，师傅这次出门与平时不一样，总是在山坡下转，不肯上山去，而且还时不时蹲下来看那些野草。

“师傅，您在找什么呀？为什么不上山去？”小神农忍不住了，好奇地问。

“我在找晚上吃的野菜，我这几天有点儿上火，牙齿都痛了。”朱有德拿着一棵野菜说。

“那要什么野菜？我帮您找。”小神农立刻朝师傅的药筐里看。

“这是鸡眼草，又叫满天星，回去择干净了，拌来吃就可以清热凉血，很管用呢。”朱有德给他看自己拔的野草。

小神农看到那野菜茎是绿色的，有的还带点紫色，表面有条纹及纵沟，沟里还有柔毛。叶子为披针形，全缘，前端急尖，基部渐狭，两面都没有毛。这种菜虽然看着熟悉，可是他实在不知道叫什么，就挠着头皮说：“鸡眼草？我还是第一次听说。其实，师傅，我吃过很多野菜，但就是不知道叫什么名字。”

“所以才要学习啊。这种草是多年生的草本植物，可以长10～45厘米，根很粗，直径3毫米，是圆柱形的，想要一下拔起来可不容易。不过，回家把叶子吃了，根晒干，也一样可以入药。”

“这倒不错，它开不开花？会结籽吗？我们可以种一些吧？”小神农连珠炮似地问。

“当然会开花。它会长头状花序，腋生，没有总花梗，刚长出来时，是个球形，慢慢就会变成圆柱状，花朵密集生长，花轴带有白色柔毛，苞片也是白色的，卵状披针形。花被白色，无毛，顶端急尖，有3个雄蕊，花药矩圆形，雄蕊退化成三角状，花柱极短。花谢之后，才会长出倒心形胞果，颜色深棕色，侧扁形，如翅状。胞果内生有种子，为球形。”朱有德一边说，一边取了胞果给小神农细看。

“除了清热凉血，还有其他功效吗？”小神农追问。

“嗯，它功效很强大，不但能清热凉血，还可以拔毒止痒，利湿消肿，因为它本身味微甘、淡，性凉，对火热之症都有效果。”朱有德说着又开始寻找了。

“师傅，我比您眼神好，我来找吧。”小神农说着，便跟在师傅身后，认真地找起鸡眼草来。

叶下珠——祛毒超强的宝贝

自从朱有德有了小神农在身边，每次上山的高度越来越高，不仅如此，就算在山下，也走得越来越远了。这让他偶尔也会有惊喜发现，因此，在秋高气爽的天气里，他难免会走得更远一些。

这天，师徒二人绕着大山走了半圈，小神农虽然有些累了，但新鲜的景致还是让他兴奋不已。

走着走着，他突然像发现新大陆一样地惊叫起来："师傅！师傅！您快来看呀，这个草可真有意思，上面长了一串小珠子。"

朱有德回过身来，看到小神农正站在一个小山沟里，那里向阳，

温暖，四周的花草也格外茂密一些。他走过去，就看到一株并不高的植物，茎带紫红色，上面有纵棱，叶子是互生的，如瓦片状排列，排成两行，为羽状复叶。不但如此，叶片是矩圆形，长2～3厘米，前端有尖，基部圆形，没有叶柄，是全绿的颜色。叶下的主脉上，长着一排灰绿色坚果。

看到这里，朱有德脑海中早想到了叶下珠的名字，只是他没想到，在北方居然还可以有这种药生长，真是太难得了。

朱有德轻轻蹲下身去，掩饰不住激动的心情，对小神农说："这可是宝贝，在北方难得一见，没想到被你找到了。"

"真的吗？这是什么药？"小神农只看师傅的神情，就知道这药不同一般。

"它叫叶下珠，是一种一年生草本植物。根是圆锥形的，直径很细，表面为黄色，还会带着皱纹，上面有细支根，茎就从根上丛生。

它可在夏、秋两季开花，就在茎叶下，开白色的小花，没有花柄，花谢之后，就会结出这样的灰黄色小坚果，排列在复叶下面。”

朱有德说着，轻轻将那些叶子连果实一起摘下来，小心地放进药筐里，又说：“这种草可以全草入药，果实结得越多，颜色越灰绿的就越好。”

“它是治什么病的呢？为什么这么难找？”小神农还真没弄明白。

“它主要生长在温暖的地带，味苦、甘，性凉，可以清热利尿，解毒消积，可以治疗疳积、肠炎、痢疾、眼赤。如果被青竹蛇咬到，就得用它解毒。你说厉不厉害？”朱有德说着，早将整株草都装进了药筐里。

“哇，太厉害了。师傅，我再去找，有一棵，肯定就会有第二棵。”小神农说着，就顺着山沟向前寻去。

野荞麦根——带走风热的三角麦

小神农在山沟里，发现了一片开着白色小花的植物，中间偶尔也有淡紫色的，叶子竟然是三角形的，全缘的叶片带有微波，基部呈心形，顶端狭窄，还没有柄。他仔细看了看，发现叶片上面是深绿色，下面只是淡绿色，这种草好奇怪。

“师傅，这种草肯定是中药。”小神农拉着朱有德去看那片草。

“为什么这样说？”朱有德笑着问。

“你看它的茎，直立生长，绿中带着红色，上面还有棱槽以及柔毛，而且到现在才开花，都已经是秋天了呀。”小神农无比自信地说。

“你这孩子，秋天开花的植物那么多，难道都是中药？你也要有点真凭实据才行。”朱有德摇摇头。

“师傅别生气，我只是不认识它，又不知从哪里开始研究，才故意这样叫您过来的呀。”小神农笑起来。

“真是个鬼灵精。”朱有德点一点小神农的头，坐在那片植物前，说，“这些草说起来真的可以做中药，只不过现在不能采，等天气稍冷一些，它都枯萎了，再来采集才行。”

“为什么呢？是为了省去自己晒制的过程吗？”小神农不明白。

“当然不是，因为我们要的是它的根，它的学名是野荞麦根。”

“哎呀，真可惜了，您看它的小花开得多好看。花序都聚于花梗顶部，上面还包着柔毛，5个小花瓣，简洁大方。对了，师傅，它结出的果实是什么样子？”小神农突然联想到种子。

“花谢之后，它就会结三菱形的瘦果，长6～8毫米，前端带尖头，颜色红褐，样子就像它叶子的形状，人们都叫它野三角麦，要到11月才能成熟呢。”朱有德说。

“那为什么不用种子入药，却要用根呢？它的根是不是很特别？”小神农说着就想去挖。

“其实它的根也没什么特别，不过是主根粗大，带有结节，颜色红棕色，一般横走生长。等到天凉之后，将它挖起来，洗净，晒干，就变成坚硬、不易折断的茎块，上面带有细须，结节处起皱纹，而且还会有点状皮孔。”朱有德看小神农半天也没挖出根来，便讲给他听。

“晒好之后是什么颜色呢？有什么功效？”小神农追问道。

“晒成的干品断面为淡黄白色，有时也会有淡棕红色。它气味微涩，用来清热解毒、活血消痈效果非常好。同时，它还能祛风除湿，冬天炮制好，明年就能使用了。”

“原来是这样，师傅，我在这里做个记号，等天冷些，我们就来挖。”小神农天真地在沟边埋起树枝来。

虎耳草——祛风散热的“老虎耳朵”

九月的天气虽然早、晚凉些，可是中午还是很热。朱有德与小神农在山间走了半天，身上衣衫已被汗水湿润了。

“小神农，我们找地方休息一下，真是秋老虎不饶人呀，太热了。”朱有德说。

“师傅，这边有条小溪，您刚好喝点水，就坐这边吧。”小神农远远就听到流水的声音了。

朱有德跟着他来到小溪旁，喝了口清凉的溪水，坐在岩石上休息。小神农却独自沿着小溪往下走，没一会儿工夫便又返回来了。

“师傅，您看这是什么草？这深紫色的卵球形果实能吃吗？”小神农把一株叶片肉质、圆形的植物递给朱有德。

“哦，这是在哪里发现的？多不多？”朱有德一看就来了精神。

“前面的岩石边有一些，小溪边还有。它是什么草？有用吗？”小神农说。

“有用，它是虎耳草，根虽然很细，但一年四季常绿，茎匍匐生长。你看这叶子，都是基生，边缘带有浅裂和锯齿，上面的绿色之中还有白色的斑纹，下面却是紫红色，都带有小柔毛，像不像老虎的耳朵？”

“真的是呢，师傅。《本草纲目》中说‘虎耳生阴湿处，人亦栽于石山上，茎高五六寸，有细毛，一茎一叶，如荷盖状，人呼为石荷叶；叶大如钱，状似初生小葵叶，及虎之耳形，夏开小花，淡红色’，是不是就是说的它呀？”小神农这段时间极用功，《本草纲目》背了很多。

“对，不错，背得好，理解得也不错。”朱有德非常满意，“它有什么功效，还记得吗？”

“书中说虎耳草味苦、辛，性寒，有小毒，归肺、脾、大肠经，可祛风清热，凉血解毒。”这可难不住小神农，只要是背过的，他都可以张口就来。

“嗯，非常好。晚上回家让师娘给你做点好吃的，好好奖励你才行。”朱有德笑得眼睛眯成了一条缝。

“可是，它5~8月开花，可惜我们看不到了。”小神农看着那小果实有些不满。

“书中不是说了吗，开淡红色小花。”朱有德安慰着徒弟。

“可我想知道花长什么样子呀，淡红色的花那么多，我怎么知道哪一种才是虎耳草的花？”小神农振振有词。

“哦，这样啊。虎耳草花序生于茎端，花茎可高25厘米，带有分

枝，花序呈圆锥状，从梗到花苞都覆有茸毛。苞片为披针形，萼片如卵状，前面尖，向外伸展，5个花瓣，是椭圆形的，长1.5厘米，宽2～3厘米，基部有黄色的小斑点，花丝像木棒，花药紫红色，子房结成球形，柱头细小。这就是它的花朵样子了，你觉得好看吗？”朱有德凭着自己丰富的经验，一一讲给小神农听。

“师傅，您可真是一部中草药的百科全书，居然什么草、什么花都知道，我什么时候能像您一样呀？”小神农感叹道，把朱有德逗得哈哈大笑。

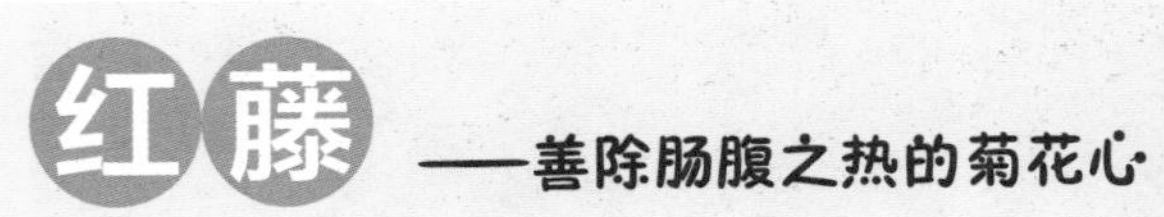

红藤——善除肠腹之热的菊花心

院子里，朱有德与小神农正在晾晒挖回家的草药。小神农一边干着活，一边说：“师傅，张大爷好像有段时间没来了，您说他是不是自己在家晒草药呢？”

“你张大爷可不会自己晒草药，他是走很多地方去收草药。而且，他喜欢到远的地方去，所以经常几个月回不了家。”朱有德说。

“一边收草药，一边到处走，他不感觉累吗？每天要走这么多路……”

“这怎么会累，这是闲云野鹤般的神仙生活。小神农，你现在还小，等长大些就明白这样到处行走的意义了。”小神农的话没说完，

张大爷居然就从门外一脚迈了进来，接着小神农的话说起来。

“张大爷？我们刚说到您，您就来了。”小神农惊喜地跳起来。

“这就叫说曹操，曹操到呀。”张大爷哈哈大笑。

朱有德忙让小神农给张大爷端茶，自己则让了座，说：“这段时间又去哪里了？找到什么好药没有？”

“我知道你喜欢一些这边少见的药，所以一有就马上给你送来了。你看这些怎么样？”张大爷说着，将一个白色的口袋打开，里面都是圆柱形的切片。只见药材表面灰棕色，粗糙，带有明显的纵沟和横裂，有的还有小疙瘩。切面部却呈红棕色，有六处向内嵌入的木部黄白色，分别被红棕色射线隔开，如同一朵放射状的花。

“呀，这是什么药？怎么这么漂亮？”小神农端着茶回来，只看了一眼就被吸引了。

“这可是上好的红藤，专门产于四川、山西一带。我特意给你师傅带回来的。”张大爷心满意足地喝了口茶。

“师傅，什么是红藤？它有什么功效呀？”小神农可从来没听过这味药呢。

“还记得中医书中说过，‘大血藤，今江西庐山多有之。蔓生，紫茎，一枝三叶，宛如一叶擘分，或半边圆，或有角而方，无定形，光滑厚韧。根长数尺，外紫内白。有菊花心，掘出曝之，紫液津润。浸酒一宿，艳红如血’这句话吗？”朱有德问小神农。

“嗯……想起来了，《简易草药》中似乎讲过。”小神农思索一下，不确定地说。

“大血藤说的就是红藤，又名红菊花心，你看这药的切面，像不像一朵红心菊花？”朱有德拿起一片放到小神农的手里，“红藤味苦，性平，归胃、大肠经，最能清热解毒，活血通络，不管是风湿、关节炎，还是肠痈、腹痛、跌打损伤，可都离不开它呢。”

“它的原枝长成什么样呢？怎么这么奇怪？”小神农看着像花一样的药材，怎么也想不出它未成药之前的样子。

“这个呀，就是藤茎切出来的片。红藤是一种落叶藤本植物，长得不高，也就10厘米左右，叶子互生，三出复叶，所以书中说‘一枝三叶’。另外，它中间叶片有小叶柄，叶片为椭圆形。它也会开花，花序腋生，下垂，为雌雄异株。花朵6个瓣，绿黄色，雄花有6个雄蕊，与花瓣对生，雌花也是6个雄蕊，与花瓣离生。每年3～4月

开花，螺旋状排列在花柱上，到7～8月就可以结出蓝黑色的浆果来了。”朱有德侃侃而谈，小神农听得如痴如醉。

“你们师徒两个等会再学习。我现在饿得很，还是先张罗点吃的吧。”张大爷在一边抗议起来。

“好好好，我都把这事忘了。”朱有德笑着说，“小神农，快，先去烧火。我把后院的芦花鸡抓来，今天改善一下伙食。”

“哎！我知道了。”小神农一溜小跑地向厨房跑去。

败酱草——解毒消痈就吃苦麦菜

清早起来，小神农看到厨房里放着一罐黄豆酱，咂咂嘴对朱有德说：“师傅，这样的酱如果能蘸点小葱吃就好了。”

“这个时节可不适宜吃生葱，容易干燥上火。不过嘛，倒是可以挖点败酱草来吃吃，又清热又下饭呢。”朱有德喝着粥说。

“师傅，我知道您说的是什么。败酱菜又叫苦麦菜，全草长20～40厘米，茎多数，光滑无毛，在基部分枝，它的叶子多皱，为披针形，可长7～18厘米，前端尖，基部窄，边缘有小齿，还有分裂，但没有叶柄，对不对？”小神农得意地说。

“小神农，不错嘛，这段时间进步很快，都可以给师傅讲草本特征了。”朱有德放下碗，接着问：“那它开不开花呀？结不结果？都是什么样子呢？”

“当然会开花，每年7～10月是花期，花序呈伞状排列。没开时总苞如同圆筒形，有2层，外层小，卵状，内层则是披针形，边缘还有膜质，开出的花为舌状，花瓣淡黄色，也有白色的或者紫色的。花谢会结出红棕色瘦果，长4～6厘米，比较扁，有纵肋，还有3毫米的尖喙，上面长着白毛，对不对？”小神农一口气说完，睁大眼睛看着师傅。

“嗯，非常好。你什么时候背的？居然这么用功。”朱有德夸奖小神农。

“师傅，我实话告诉您吧，昨天晚上我看《唐本草》，书里说‘败酱，不出近道，多生岗岭间，叶似水莨及薇衔，丛生，花黄，根紫作陈酱色，其叶殊不似豨莶也’。所以我就查了一下，原来这就是我们春天经常吃的苦麦菜。现在您一问，我当然就记得了。”小神农说着咯咯地笑起来。

“你这个小鬼头！你只知道它的样子，知道它的功效吗？”朱有德又端起碗，开始喝粥。

“嗯，我看了，书中说败酱味苦、辛，性微寒，归肝、胃、大肠经，可凉血清热，解毒消痈。不过，师傅，您就别吃了，您是不能吃的。”

“为什么？”朱有德奇怪地问。

“因为书中说脾胃虚寒者不宜吃呀，您胃一直不好，当然不能吃。”小神农笑着说。

“你呀，真是个鬼灵精。”朱有德大笑，小神农也咯咯地笑了。厨房里的笑声一直传到小院子，连小鸟都听出师徒俩的好心情来了，跟着叽叽喳喳地叫了起来。

——虾钳夹走瘀结湿热

小神农虽然经常上山，但到底还是年纪小，对什么事总分不清好坏。这不，走着走着，被“割人草”绊了一下，差点摔倒，便生气地说：“你居然敢绊倒我？看我怎么消灭你。”说着就用手去拔。

可是，他的手刚伸下去，就感觉被刺到一样，再迅速缩回来时，手背上已经被划了一个长长的伤口。

“哎哟，师傅，这草讨厌死了，它弄破了我的手。”小神农站在那里叫起来。

“你呀，总不肯听话。我都说了，不管是花花草草还是小动物，小虫子，都要看清再动手，这回吃苦头了吧？”朱有德走过来，看看

他的伤口。虽然伤得不是很重，但这种草有微毒，所以小神农的伤口都肿起来了。

朱有德拉着小神农往路边走，然后找到一棵开淡黄色小花的植物，连根挖出，用路边的溪水冲一下，再用石头捣成碎状，取浓汁涂在他的伤口上，说："等一会儿就不疼了。下次再也不许调皮了。"

"师傅，这是什么草呀？为什么用它敷伤口？"小神农凑近那种草，仔细看起来。只见野草茎部直立向上，为钝四棱形，上部有稀疏的柔毛，茎下部叶子较小，分3裂，中间叶子为羽状复叶，两侧的小叶椭圆形，前面尖，底部圆，不对称，还带一个小小的短柄。叶片边缘有锯齿，叶背面带疏毛。

"这是鬼针草，又叫虾钳草，它在8～9月开花，9～11月结果。你看，它的花就开在茎顶，花托如平盘状，花为杂性，边缘黄色，如舌状，通常是1～3朵不发育，5个花瓣，5个雄蕊，花药聚集，柱头开裂2瓣。花谢之后，有10来枚针束状的瘦果生出，有的前面还会带着黄色的花序。这果实细长，如同针芒，所以它才被称为鬼针草。"朱有德拿给小神农细看。

"它是止痛的吗？我现在感觉伤口不那么疼了。"小神农问。

"鬼针草味苦，性微寒，归肝、肺、大肠经，解毒、清热、消肿、散瘀，不但可治肝炎、腹膜炎，就算是蛇咬、虫叮、皮肤感染、跌打损伤也可以用，效果多着呢。"朱有德见小神农没事了，便又继续往前走。

"师傅，等等我。这草真神奇，我以后可要对它们好点了。"小神农一边说着，一边朝朱有德跑去。

垂盆草——除诸毒泻火的黄花

朱有德这几天有些疲累，所以今天没有上山，坐在院子里的石凳上晒太阳。他让小神农去园子里摘点茄子，准备中午炒来吃。

过了好久，小神农才一手挽着篮子，一手放在背后，神神秘秘地走回来。来到朱有德面前，他把篮子放在石桌上，对师傅说：“师傅，我考考您怎么样？”

“哼，你是不是又要出什么坏主意了？”朱有德看小神农一脸的坏笑，就知道他又要玩什么把戏了。

“没有，师傅，我就是觉得您知道得太多了，我总不敢相信这是真的。”小神农噘起小嘴，自己想做什么总被师傅猜中，真没意思。

“那你问吧，看看能不能考住我。”朱有德可不买小神农的账，这个小徒弟虽然聪明，但远没达到超过自己的地步。

“您看这是什么？”小神农边说边将背后的小手伸出来，只见他手里握着一小撮细小、表面带有乳头凸起状的种子，长约0.5毫米，为卵形。

“这是草籽。”朱有德没有细看，直接说。

“不对，您要说它是哪种草的籽。”小神农故意难为师傅。

“我来看看。”朱有德放在鼻子下闻了闻，没什么特别的气味，而且，种子已经被小神农手心里的汗浸湿了，都黏在一起。

不过，朱有德对自己家的小园子非常熟悉，这个季节，结出这种种子来的大概只有垂盆草了，所以，他非常自信地说："这是垂盆草的种子。"

"啊！师傅，这您也能知道啊？"小神农的嘴巴张得大大的。

"这有什么奇怪？垂盆草5～7月开花，它的花序聚生、分枝，无花梗，花瓣有5个，为黄色，披针形，前端尖，底部楔形，雄蕊10枚，心皮5枚，花柱稍长，至秋天才结出种子，就是这样卵形的细小颗粒状了。"

"那它为什么叫垂盆草呢？"小神农问。

"这是因为它的花茎细而长，长10～25厘米，为匍匐生长，节上生根的模式，种在盆中，会自然朝下垂生，所以就得了这个名字。"

"哦，原来是以形定名的。"小神农若有所思。

"其实，它还有一个更形象的名字，叫鼠牙半枝莲。因为它的叶子轮生，如披针形，长15～28毫米，前面急尖，基部急狭，细小如

鼠牙，所以得名。”朱有德故作高深地说。

“它是中药吗？您为什么在园子里种它呢？”小神农又问。

“当然是中药呀。它全草可入药，性凉味微酸，可以清热解毒，消肿利尿，还能排脓生肌，是不用花钱就可以随时采摘的中药，为什么不种呢？”朱有德反问。

“原来是这样，现在它都成熟了，我去把它们割回来吧。”小神农说着就要去割，朱有德急忙拉住他：“它干了自然可入药，不必急着割，不是还有种子吗？播散之后明年还可以再长呀，你可真是个急脾气。”

小神农看看师傅，挠了挠头，站在那里嘿嘿地笑起来。

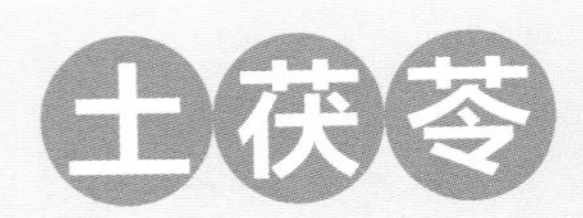

土茯苓——清湿热之毒的特使

隔壁的李奶奶最近胃口不好，朱有德听说后，就回家给她配药。结果，他把药方刚写好，就来了位患者，他只好先给患者看病。等把患者打发走，小神农已经把药都包好了。

“现在你都学会包药了，进步真不小。”朱有德满意地夸奖徒弟。

“师傅，这太简单了，现在我都认识这些药了，包起来还有什么困难呀。”小神农一点也不谦虚，得意地说。

不过，朱有德可不放心，小神农虽然聪明，但毕竟才学没多长时间，经验还不够丰富。所以他就打开药包亲自看一看，这一看不要紧，马上就皱起眉头来了：“小神农，你是不是把药弄错了？”

“没有呀，师傅，哪里不对吗？”小神农吓一跳，连忙凑近来看。

“这是茯苓吗？明明是土茯苓，它们的功效可不完全一样的，不能乱用。”朱有德说着，从药包中挑出一块薄片状的药材来。只见那药材边缘不整齐，呈淡棕色，表面光滑，中间有维管束点，仔细看还能看到砂砾的光亮。

“师傅，这土茯苓长得太像茯苓了，连名字也只差一个字。包药的时候我还在想，怎么不像您教我认识的茯苓了呢。”小神农脸一下红了，第一次帮师傅包药，就闹出笑话来。

“《本草纲目》中不是说过嘛，土茯苓蔓生，茎有细点，其叶不对称，状颇类大竹叶，而质滑，如瑞香叶而长五六寸。你这么快就都忘了？”

“呀，师傅，我真的忘了。其实……我要是看到过新鲜的土茯苓就好了，不然总分不明白。”小神农不知所措地说。

“土茯苓是攀缘灌木，茯苓是寄生于松树的植物，它们还是有区别的。土茯苓的茎很光滑，没有刺，其根茎与茯苓比较像，都是粗厚的块状，匍匐连接生长。不过它的叶子可比茯苓好辨认多了，叶片互生，有长叶柄，长5～15毫米，叶片革质，如狭卵形，前面尖，基部钝，这些你都要记住才行。”朱有德耐心地教导小神农。

“师傅，土茯苓既然攀缘生长，它会开花吗？”小神农小声地问。

“会开花呀。它的花序在叶腋下长出，要开10多朵，花序托膨大，与多数宿存的小苞片呈莲座状，花有六棱，为球形，是绿白色的。每年5～11月是花期，11月至来年的4月是结果期。新鲜的土茯苓为不规则块状，略扁，多分歧，有结节状隆起，长5～15厘米，表面土棕色，经常会有刀伤或者是侧根残余。”说着，朱有德在一个药盒子里，拿出整块的土茯苓给小神农看。

“茯苓是利水渗湿的药材。土茯苓则味甘、淡，性平，归肝、胃、脾经，可以解毒、除湿。《本草正义》中说‘土茯苓，利湿去热，能入络，搜剔湿热之蕴毒’，这和茯苓的功效可不能同用，记住了吗？”朱有德反复强调。

“师傅，我记下了，下次再也不乱抓药了。”小神农低下头去。

“懂就是懂，不懂就是不懂。多问多学没什么坏处，不然吃错了药是要出大问题的。”朱有德一边重新分拣药材，一面细心教育徒弟。小神农当然明白师傅的一片苦心，所以对师傅越来越尊敬了。

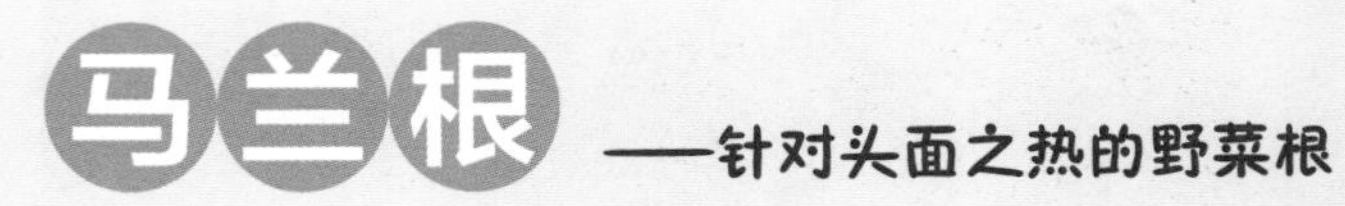

马兰根
——针对头面之热的野菜根

虽然朱有德平时总是一本正经，但偶尔也会故意为难一下小神农。他心里明白，有时徒弟哪怕已经认识了某种草药，但换一种方式出现，他就会分不清了。

所以，这天他特地弄了点马兰根给小神农看，问他：“你还记得这种草药吗？”

“咦，这是什么？”小神农拿起一点，细细观察。只见这种草药是小细长的圆柱形根茎，弯曲交错地团在一起，粗约0.2厘米，表面有皱缩的纹路，节上带不明显环状，颜色为土黄色。

“师傅，您可从来没教我认识过这种草药。”小神农看出师傅是故意为难自己，所以大声说。

“谁说的？它新鲜的样子你还吃过呢，怎么能说没教你认识过呢？”朱有德故意绷着脸。

“真的吗？我什么时候吃的？”小神农挠着头，还是没想起来。

“春天呀，你自己在地里挖回来的。”朱有德一本正经地说。

“可是我春天挖过那么多野菜，我怎么知道这是哪一种呀。您好歹也要和我讲讲它的样子吧？”小神农撒着娇，摇起了师傅的袖子。

“我只能告诉你，它是多年生草本植物，地下有细长的根茎，就是现在看到的这些。初生时为基生叶，茎不明显，到了夏天，茎才会长高，然后茎变成紫红色，它光滑无毛，叶片单生，如倒卵形……”

“哦，我知道了。”小神农笑起来，“春天它的嫩苗可供人们食用，秋天则会开花，为头状花序，花苞呈半球形，总苞片有2～4层，花边为舌状，紫颜色的，里面还有黄色的花管。我说得对不对，师傅？”

“那它是什么呢？叫什么名字？”朱有德笑起来。

“《本草纲目》中说，其叶似兰而大，其花似菊而紫，故名马兰，因为物大者，为马也。”小神农摇头晃脑，背起了《本草纲目》。

“对了，这就是马兰根。它的功效可一点也不比嫩芽弱，不但清热解毒，而且可以利尿凉血，有眼、鼻、口等上火症状的，都可以用它来煎水喝。”朱有德补充着。

“师傅，您成心为难我，吃马兰的时候，您可没说马兰根有这些功效。”小神农和师傅算起账来。

“我这是为了让你灵活掌握知识，等到开春，你再看到马兰不就想到马兰根了吗？”朱有德笑着说。

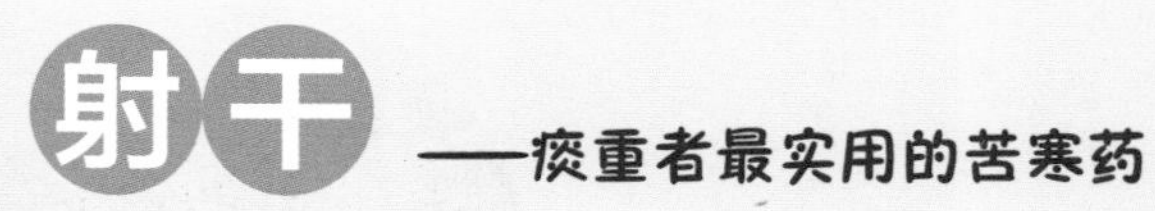

射干——痰重者最实用的苦寒药

小神农在师傅家已经住了半年时间，经常会想家，所以趁着不忙，朱有德就让他回家看看。没想到才过了三天，这孩子就拎了个布袋回来了，兴冲冲地说：“师傅，您看这是什么！这可是我特意在我们村的药商那里买的呢，他说我们这边根本没有这种药。”

朱有德倒好奇起来，打开袋子一看，里面是一块一块的根茎，颜色棕黄色，有的还黑褐色，表面皱缩，带多个圆盘状下陷的茎痕，并布有较密的环纹。

“这是射干呀。谁说我们这边没有的？你被骗了。”朱有德笑了起来。

“啊，我怎么不认识这种草药呢？那个商人可真狡猾，我说我不认识，他就说因为这边根本不产这种药。我以为是好东西，才特意买了回来。”小神农懊恼地坐在一边，噘起了嘴。

“买就买了吧，射干也是不错的药，它味苦，性寒，但有毒性，归肺、肝经，用来清热化痰，解毒利咽是很不错的。”朱有德安慰起小神农来。

“师傅，我们怎么没在山上看到过呢？它长什么样子？”小神农疑惑不解。

“你才来多久，怎么可能把所有的中药都看全呢？它是多年生的草本植物，根茎为不规则的块状，茎可以长1～1.5米高，叶为互生，像剑一样的形状，绿色，带白粉点，两侧压扁，中间无脉。”朱有德喝一口茶，继续说，“它7～9月会开花，花序为茎顶生长，二叉分歧，花梗基部有膜质苞片，苞片如卵状。花被是椭圆形的，长1厘米左右，共6个，两轮生，内轮3片小的，外轮3片大的。花朵为橘黄色，还带有暗红色的斑点。”朱有德一一为小神农解释道。

“这么说它的花挺好看的，我真想看看是什么样子。”小神农瞪大两只眼睛，努力想象着花的样子。

“现在它的花已经谢了，正是结果期。它的果实是椭圆形的蒴果，有3个棱，成熟了会裂成3瓣，里面结有球形的黑色种子。”朱有德将那些射干收起来，“虽然这是药，但也不能乱用，体质多虚、便溏者不能用，因为它味苦，性寒。”

“师傅，书里有射干的介绍吗？我去背一背。”小神农知道自己被人骗了，心里格外不舒服。

“有，在《本草纲目》中就有，你去看吧。”朱有德笑起来，他想，这个孩子好胜心太强了，一定要好好引导才行。

饭桌上，朱有德津津有味地喝着八宝粥。可是，小神农却在一边心不在焉，勉强地夹一粒米放进嘴里，然后就紧皱着眉头。而且，他也不像平时那样爱说话，一直不出声。

“小神农，这粥不好喝吗？还是你有什么心事？”朱有德问。

“师傅，粥很好，可是我牙疼，舌头疼，想吃又不敢吃，一碰就特别疼。”小神农噘着嘴说。

“原来小神农生病了，来，让师傅看看怎么回事。”朱有德说着放下碗筷，让小神农把嘴张开。只见小神农咽部红肿，牙龈也肿起来了，舌尖上还起了个小溃疡。

“你这孩子怎么火气这么大？这是怎么了？”说着，朱有德又给小神农号了下脉，接着说，“没什么大事，体内火旺造成的，我去给你熬点药消消火。”

小神农一听师傅要给自己熬药，便连忙跟着去看。来到药堂，朱有德在抽屉最上层取出一些棕褐色的根茎状药材，那药表面有皱纹，还有横长皮孔的突起，断面呈浅棕色。

小神农好奇起来，心想这是什么药？清热不都是用金银花，蒲公英的吗？想着，他就拿了一块，用手一掰，还挺坚硬，没断开来，再闻闻味道，一股豆腥味，好苦。小神农捂着鼻子，一下把药给扔了回去，“师傅，这是什么药？怎么这么难闻啊？”

“它叫山豆根，又名胡豆莲，是豆科植物，清热解毒、消肿利咽功效显著，咽喉肿痛，口舌生疮、齿龈肿胀，用它最合适了。《本草经疏》中就说‘山豆根，甘所以和毒，寒所以除热，凡毒必热必辛，得清寒之气，甘苦之味，则诸毒自解，故为解毒清热之上药。凡痛必因于热，毒解热散，则痛自止，疮肿自消’。”

“哇，这么厉害！可是您都没有教给我过，我以为只用些蒲公英、金银花类的就可以了呢。”小神农不满起来，师傅老是留一招，也不都教给自己。

“你呀，药有那么多，你怎么可能一下都学完？金银花类虽然清热解毒，但却药性温和，这山豆根就不一样了。它味苦，性寒，有微毒，对你这样多症齐发的实热之症，当然更合适啦。”朱有德笑了起来。

“可是它长什么样？我们今天去山上挖一点吧。”小神农被山豆根迷住了，急欲看一看它的样子。

“那恐怕不行，这山豆根多生长在南方，比如广东、四川、湖南等地，这边很少找到呢。”

“这样我不是就不知道它长什么样子了吗？”小神农着急起来。

“傻孩子，它就是藤状灌木，长在密林中，直立或者平卧，有2～5条根，茎为圆柱形，几乎不分枝，茎上常生不定根。叶片很小，有3枚，带小叶柄，长约4厘米，上面有柔毛，而且在轴部还有不明显的沟槽。叶片厚纸质，椭圆形状，是再简单不过的灌木了。”朱有德告诉小神农。

“那它开花吗？会不会结种子？”小神农追问道。

“嗯，每年4～5月是花期，总花序生于茎顶，长12～15厘米，带着短毛。它的花萼是阔钟状，下面有稀毛，顶端带5个三角形的短齿。花冠为蝶形，是黄白色的，雄蕊10枚，花丝细长，子房上位，花柱弯曲。等到花落了，就会生出紫黑色的荚果来，像一串小珠子一样。”朱有德还记得，自己年轻时去广西，看到山豆根时，也是好奇得不得了，现在又轮到自己的徒弟好奇了。他一边说着药的样子，一边把药也熬好了。

小神农喝过药，朱有德才说：“今天不上山了，你好好歇着吧。没事时看看书，就知道得多了，省得又说我不肯教你。”小神农当然知道师傅是指他刚才的埋怨，自己不好意思地笑了。

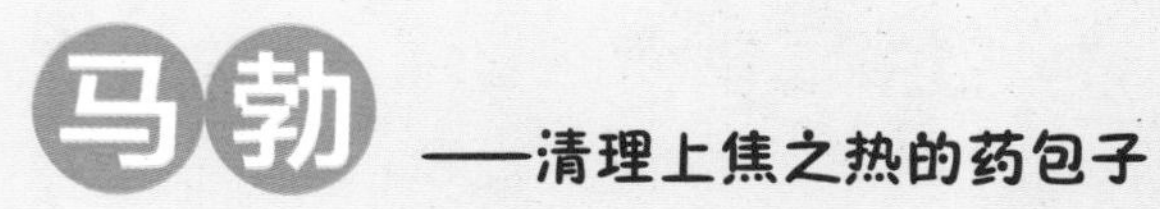

马勃——清理上焦之热的药包子

秋雨连绵，一直下了好几天。小神农早上起床，看看窗外雨停了，一下跳起来，高兴地叫着：“师傅，雨停了，雨停了！我们可以上山了！”

朱有德从房间里走出来，伸伸腰说：“一场秋雨一场凉，小神农，今天要多穿件衣服。”

“哎！师傅，我知道了。”小神农顾不上吃饭，包了两个馒头就往外冲。

快到中午时，师徒两个已经到了半山腰。朱有德说：“小神农，我们要休息一下，师傅累了。”

“师傅，您吃个馒头吧，坐在这边干爽点的地方。”小神农懂事地给师傅找了块石头坐下。自己刚拿出馒头，想要给师傅吃，结果一不小心没拿住，馒头便滚到一边的枯树叶中去了。

“我的馒头。”小神农追过去，快速地在树叶中扒拉起来。忽然，一颗白白的圆状东西出现在眼前。

“呀，师傅，我的馒头变成这样子了。”小神农惊奇地叫起来。说着，他再往边上看，四周好多个又白又圆的东西，像蘑菇一样长在地上。

朱有德走过来，一看便说：“小神农，你一个馒头换了这么多中

药，收获真不小呀。”

“这是中药吗？”小神农立刻把馒头的事忘到脑后了。

“对，它叫马勃，属担子菌类植物，俗名又叫药包子。初生时为白色，形状圆球形，如蘑菇状，但比蘑菇要大，等到老了，就会变成褐色，而且虚软，震动一下，会有粉尘飞出，里面如同海绵一样。”朱有德摘下一朵给小神农看。

“它有什么用？看起来像个蘑菇一样，是不是也可以吃呢？”小神农越看越喜欢。

“《本草纲目》中说，马勃轻虚，上焦肺经药也，故能清肺热、咳嗽、喉痹、衄血、失音诸病。所以，它是清热解毒，宣肺利咽的中药。当然，新鲜的时候也可以吃，它味辛性平，味道鲜美嫩滑，口感很不错呢。”朱有德说着，已经开始采摘马勃了。

“师傅，《千金翼方》中不是说马勃如紫絮吗？它怎么是白的？”

小神农已经看了不少医书，可以与师傅讨论一些简单的草药了。

“因为马勃有几个品种，它分为脱皮马勃、大颓马勃和紫色马勃。《千金方》中所指应该是紫色马勃，它的样子为陀螺形，直径5～12厘米，包被比较薄，两层，上部常会裂成小块，逐渐脱落，内部紫色，孢子为粉状，球形，上有小刺。”

“那另外两种怎么分辨呢？”小神农好奇地追问。

“大颓马勃长得与脱皮马勃相似，就是我们看到的这种。它包被为白色，成熟后慢慢变浅黄色，或者青黄色，孢体为浅青褐色，孢子球是光滑的，上面有小疣，淡青黄色。而脱皮马勃的实体近球形，包被比较薄，容易消失，包被如浅烟色，孢体紧密而且有弹性，等到成熟，会变成灰褐色，它的孢子也有小刺，与紫色马勃相似。”朱有德边回忆边详细地讲述。

“哎哟，原来有这么多不同呢。不过，我的馒头不见了，看来我们中午只能饿着了。”小神农一屁股坐在湿草地上，把朱有德惹得呵呵笑起来。

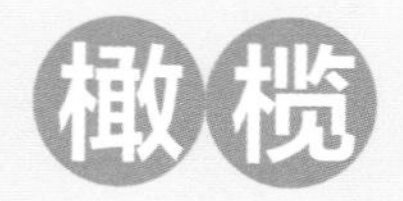

橄榄

——生津利咽的蜜饯

这天，小神农无事可做，正抱着一本医书在药堂里打瞌睡。张大爷从外面走进来，大声说：“小神农，不好好看书，又偷懒！”

小神农吓了一跳，立刻睁开眼睛，看看是张大爷，噘起嘴不高兴地说：“张大爷，您吓死我了。”

“我这可是为你好，被你师傅看到你偷懒，又要被说了。”张大爷四下看看，并无患者，又问：“你师傅呢？是不是也在房间里偷懒？”

“我师傅可没时间偷懒，他一大早就被人家请去看病了，所以才留下我看药堂呢。”小神农给张大爷倒了杯茶，接着说，“张大爷，

您这段时间都去哪了？好像有3个月没来了吧？”

“我去广东那边贩药了。看，我给你带来了什么！”说着，他从口袋拿出一个小纸包，打开来，里面竟是一包黑褐色的东西，如同梅核，但个头要大。

“这是什么？能吃的吗？”小神农拿起来闻了闻，有一种腌渍过的酸甜味。他小心地放进嘴里咬一点，有些涩，又有点酸甜：“这个不好吃。”小神农皱起眉。

“这可是南方的蜜饯，又叫橄榄，怎么会不好吃呢？连我都知道，书中说橄榄味酸、涩、甘，性温，可‘治一切喉火上炎，大头瘟症，能解湿热、春温，生津止渴，利痰，解鱼毒、酒、积

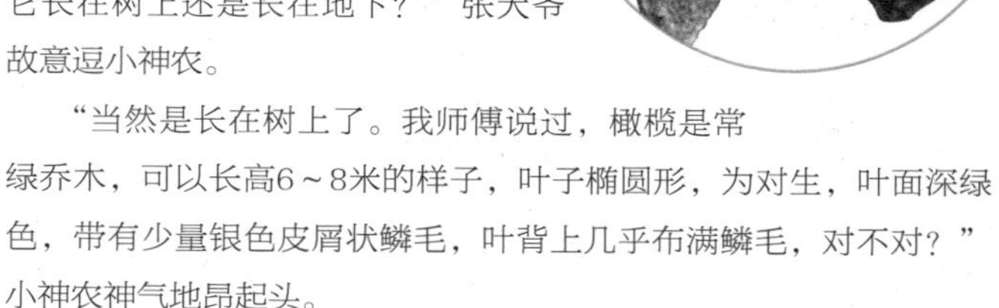

滞’，你师傅是怎么教你的？”张大爷撇撇嘴，笑话起小神农来。

“您骗人，橄榄是核型果不假，但它是绿色的，我还不认识吗？”小神农反驳着。

“你认识？你难道看到过？你说它长在树上还是长在地下？”张大爷故意逗小神农。

“当然是长在树上了。我师傅说过，橄榄是常绿乔木，可以长高6～8米的样子，叶子椭圆形，为对生，叶面深绿色，带有少量银色皮屑状鳞毛，叶背上几乎布满鳞毛，对不对？”小神农神气地昂起头。

“叶子说得不错，那它开什么样的花，什么时间果子成熟？”

“您连这都不知道！它每年5月开花，花序是聚伞状，腋生，花

朵很小，黄白色的，花冠有4个深裂。哦，对了，它的花萼如同钟状，很好玩吧？到了9～12月，橄榄就成熟了，是椭圆形的核果，颜色是嫩绿色的。”小神农流利地一口气说完。

“橄榄成熟之后会变成黑褐色，上面还会有白粉。这可不能忘了，我们这边看到的橄榄应该都是成熟之后的样子。”朱有德说着从外面走进来。

“小神农，你现在相信了吧？还说我骗你。”张大爷一听立刻来了精神，对朱有德说，“你徒弟居然对这样清热利咽，解毒生津的东西都不喜欢，还硬说橄榄是嫩绿色的，你这师傅可有责任。”

“他还那么小，能有多少见识，倒是你这样的老人家，竟学会欺负小孩子了。”朱有德坐下来，替小神农说话，张大爷顿时哑口无言了。

“就会欺负我，您有本事和我师傅比一比。”小神农见张大爷说不出话来，高兴地说。朱有德与张大爷两个同时被他的话逗笑了。

鲜生地黄——清热凉血的牛奶子根

“师傅，这么晚了我们还上山吗？”这天一直忙到下午，朱有德才带着小神农出门，小神农有些不解，平时要上山可是一大早就出门了的。

“今天不用上山，我们去田间挖点鲜生地黄，是时候炮制生地黄了。”朱有德一边走一边说。

“生地黄？这个我知道，书中说，生地黄味甘、苦，性寒，归心、肝、肾经，可以清热解毒，凉血止血。”小神农念叨起来。

“对，不过生地黄有干和鲜之分，你说的是干的，鲜的生地黄其苦重于甘，为大寒之物，用来清热凉血更胜于干生地黄，所以治急性的热病会用鲜生地黄。”朱有德给他补充着。

“师傅，它不长在山上吗？我以为这样的药应该是很大一棵树。”小神农想象着生地黄的样子。

“那可就错了。生地黄是多年生的草本植物，高10～30厘米，根茎肉质，新鲜时为黄色，干了之后为黑褐色。它的茎带有长柔毛，紫红色，叶子在茎基部聚集生长，如同莲花座一样，向上就变成小苞片，或者变成互生状。”朱有德一边说一边在田间寻找。

“那是不是现在刚好是采收的时候？有花吗？会不会结果？”小神农也四处看。

“秋天是最好的采收季节。花朵从叶丛中长出，为总状花序，花如钟状，有5个浅裂，花冠紫色，里面带有黄色，长4厘米左右，雄蕊4个，生于花冠基部，花柱单一柱头，膨大。花落后会长卵形蒴果，有的在前端会有宿存花柱。”朱有德说着，已经发现了生地黄的踪影，拔起一棵给小神农看。

“哦，原来是它呀，我们村都叫它牛奶子根，它的花还能吸出甜味来呢！”小神农一下精神起来，“我从来不知道它的根是可以入药的。师傅，我来挖。”

“嗯，鲜生地黄甘寒多汁，略带苦味，性凉而不滞，质注而不腻，晚上我们倒是可以用它做道菜吃。”朱有德也跟着一起挖起鲜生地黄来。

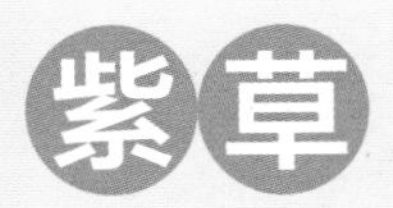

紫草——滑肠排毒的小草

“小神农，早饭要多吃点，今天可要干累活呢。”吃早饭时，朱有德提醒小神农。

“师傅，是要上山吗？”小神农心想：反正我不怕，只要带个馒头就行，饿了随时可以吃。

“不上山，在后院挖紫草，那一片今天都要挖完才行。”

“紫草？是园后那种长圆形叶子植物吗？”小神农问。

“对，不过你可要记住它的样子，明年我们可不种了。”朱有德说，“紫草的叶子前端尖，基部楔形，全缘，叶片两面有糙伏毛。它的花朵为顶生或者腋生，花为雌雄同体，苞片披针形，两面有粗毛，

花萼深裂，裂片线形，花冠如筒状，淡紫色，长6～8厘米，前端开成5瓣，裂片如卵形。”朱有德系统地给小神农描述。

“这个我知道。师傅，它的花在6～8月开，现在已经结籽了，是小坚果形的卵球状，颜色灰白色，有的还是黄褐色，光滑的。”小神农一边吃饭一边说。

“对，一会你再观察一下它的根就可以了。”朱有德说。

“师傅，这一片草您都种了很长时间了，为什么要挖掉呢？”小神农着急地问道。

“因为这种草就是第一年种下去，来年的秋天收割，然后挖出根，连草一起炮制成草药呀。”朱有德笑着说。

“它有什么用呢？种两年时间，怪麻烦的。”小神农觉得这种药不好，种的时间太长了。

“紫草味甘、咸，性寒，归心、肝经，是清热解毒、凉血滑肠的药物。田野间也有野生的，但都不如种的长势好。”朱有德想到了什么，接着说：“对了，紫草有多个品种，你要学会区分才行。”

“都有哪些品种呀？”小神农连忙问。

“我们种的是紫草，它的根茎粗大，肥厚，为略弯形的圆锥形，不分枝的多。有一种又叫软紫草，它比紫草要矮一些，高15～40厘米，根粗，但有多个侧根，扭结在一起，颜色为暗红色。从外表看，它的花和叶子以及种子与紫草都比较相似。”

“哦，我知道了，只要看根就分辨开了。”小神农心领神会。

“还有一种叫黄花软紫草，因为它的花冠是淡黄色的，为钟形，花柱丝状，结的种子是三角形坚果，上面有小疣凸起，根的颜色是紫褐色，带片状剥离。另外，新疆紫草更矮一些，高只有15～35厘米，根是紫色的，扭曲生长，叶子基生，全缘，花为淡紫色，裂片为椭圆形，结骨质小坚果，也会有疣状凸起。”朱有德怕说得太多，反而让小神农记混，只大致将重点总结出来。

“师傅，我记住了。我已经吃饱了，现在就去挖紫草去，您慢慢吃吧。”小神农说着，早跑出厨房，没了踪影。

牡丹皮

——善消心·肝肺肾之火

这天天还没亮，就有人来敲门。小神农迷迷糊糊地穿好衣服，打开门一看是张大爷，不高兴地说：“张大爷，您送药也要等到天亮嘛。”

“我这次可不是送药的，是来找你师傅救急的，快把你师傅叫起来。”张大爷风风火火地说。

“怎么了？您身体不舒服吗？还是家人生病了？”小神农看看张大爷，精神抖擞的，不像有病的样子。

“都不是！哎呀，小神农，你就别打听了，快把你师傅叫起来吧。”张大爷催促着。

“不用叫，你这大嗓门，一来我就听到了。有什么事，快说吧。”朱有德披着衣服从房间里走出来。

“有德呀，你可得帮我这个忙。人家在我这定了些牡丹皮，可早起送货时才发现，药材没收存好，下了几天雨都发霉了。你这有多余的先给我用用，回头我再弄好的给你。”张大爷是个有原则的人，绝对不肯以次充好。

“这没问题，我还以为多大事呢。夏天进的那批货一直没用呢，自从小神农来了，每天上山采药去，我的药钱倒省了不少。”朱有德笑起来。

“师傅，什么是牡丹皮？是牡丹花的皮吗？”小神农早在一边听晕了，这味中药他都不知道是什么。

“当然不是，牡丹皮就是牡丹根的皮，这种植物是多年生的小灌木，根茎肥厚，枝短粗状。当然，平时用来做观赏植物也不错。它叶互生，多为二回三出复叶，柄长6～10厘米，小叶呈卵形，侧生小叶则为掌状3裂形，叶子上面深绿，无毛，下面略带白色，每年5～7月开花，那才好看呢，红色、紫色、白色、粉色都有。它的花瓣很大，单生枝顶，5个萼片，多个花瓣，为倒卵形。”朱有德一口气说起来没完，张大爷早等不及了。

“你们师徒学习不能等把我的事处理完再说？真急死人了。”张大爷急得直跺脚。

“现在你还急什么？一会儿吃完饭，你直接带走就行了。”朱有

德说。

“你这里有300斤？我还要到别处去讨一些凑数呢。”张大爷搓着手，急得在原地直转圈。

“放心吧，你要500斤我也有，不用你到处跑。”朱有德说着就进厨房了。

“哎呀，真这样可省了我的大麻烦了。那早上吃点什么？我这肚子还真饿了。”张大爷一听，顿时脸上笑开了花。

“师傅，您还没告诉我它的种子是什么样呢。”小神农在后面穷追不舍，也跟着进了厨房。

“种子呀，一般要到花谢后，会长出2～5个蓇葖状的聚生果，卵形，绿色，外面带着短的褐色毛毛。”朱有德看看早饭，妻子准备了小米红枣粥和素馅包子，满意地点点头坐了下来，“不过，小神农，你不应该记种子，而是要记牡丹皮的样子才对。它外面灰褐色，有多数横长皮孔和细根痕，栓皮脱落处有粉色，内里则是淡灰黄色的，有明显的细纵纹，还可以看到发亮的银星。虽然它的根是筒状，但都是纵剖开的，略向内卷曲，直径0.5～1.2厘米。”朱有德招呼张大爷坐下，摆好碗筷。

“那它有什么用呀？”小神农追问。

“我就知道你这孩子会这样问。我来告诉你吧，它味苦，性寒，归心、肝、肾、肺经，是清热凉血，解毒散瘀的中药，用处可多呢。”张大爷一边说着，一边坐在桌前，他与朱有德是几十年的老朋友，完全不用客气，自己看看饭菜，拿起筷子吃起饭来。

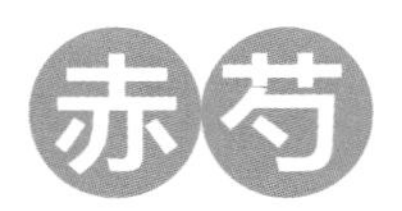

赤芍——散结清热根最利

秋风一吹，很多花的叶子都落了。朱有德站在自己家的园子里，看着那片落光了叶子的芍药。过了好一会儿，他才叫道："小神农，把药铲拿来吧，趁着天气晴朗，我们把赤芍炮制一下。"

"师傅，这芍药好好的，明年还开花呢，怎么就铲掉了？"小神农不理解。

"因为它的根是药，其味苦，性微寒，归肝经，可清热凉血，活血解毒，祛瘀散结。这个时候挖出来，晒干了，刚好可以用。"朱有德说。

“我还以为您是种来看花的呢，我看看它的根长什么样子。”小神农跟在朱有德身后，仔细观察着刚刚挖出来的芍药根，原来它的根肥大，黑褐色，如同一个纺锤的样子，几乎没有分枝。

“真丑，比起叶子和花，根实在不好看。”小神农叹口气说。

“药物和做人一样，不能只图表面好看，而忽略内在的实用价值，知道吗？芍药根虽然不好看，可是作用强，这花和叶怎么有根的作用大呢？”朱有德教育着小神农。

“师傅，我记住了。我只是想说，如果花和叶子能入药，那就更好了，因为更容易分辨一些，不是吗？”小神农吐吐舌头，不好意思地找起理由来。

“现在叶子、花都落了，你说说看它们长什么样？”朱有德又抓住了考徒弟的机会。

“这个容易。芍药茎直立，上部分枝，叶片互生，有长叶柄，大约9厘米，茎下部的叶子为二回三出复叶，上部则为3出复叶，叶片如狭卵状，前面尖，后面有楔形，边缘带有细齿，两面无毛，近革质，对不对？”小神农夏天时经常欣赏芍药，这可难不住他。

“嗯，不错。那花朵长什么样？”朱有德一边挖着芍药一边说。

“花朵生在茎顶，为雌雄同株，苞片4～5个，披针形，萼片4个，近圆形，花瓣9～13个，为倒卵形。花朵多数为白色，有的基部带有粉色或者紫色。它的花药是黄色的，花丝长7～12毫米。等到花谢了，还会结出卵形的蓇葖果来，是不是师傅？”小神农得意起来。

“说得没错，那它的根茎有什么特点，你知道吗？”朱有德可不会轻易放过小神农。

“前面不是说了嘛，又黑又壮的样子。”小神农小声地说。

“那是它的鲜根，炮制成药之后，就变成了薄片，是圆形的，或者斜片，直径0.5～3厘米，表面是粉白色或者粉红色，中心有放射状的纹理，皮部多有裂隙。周边是灰褐色，质地比较硬。闻一闻，可以闻到苦味。这些才是辨别药材的方法，你可要都记住才行。”朱有德只挖了几棵芍药，已经累得气喘吁吁了。

“师傅，我记住了。您歇着，现在换我来挖吧。”小神农脱掉外套，卖力地挖起芍药根来。

大青叶——解毒散瘀的专用叶

朱有德一直认为，要将自己研习几十年的医术全部传授给小神农，首先必须要系统学习认药。所以，他就想趁着自己体力还跟得上时，多带小神农上山走走。毕竟，医者不能只认药而不识药源。当家里都收拾好了之后，这天一早，他又带着小神农上山了。

不过，这次他带了两个布袋子。小神农好奇："师傅，今天采药为什么不背药筐，而换成布袋了呢？"

"你猜猜看。"朱有德故作神秘。

"难道我们要去采野果？"小神农眼睛一亮。

"野果也可以放在药筐里呀。"朱有德打断了小神农的"幻想"，直接说，"我们是去摘叶子的，用袋子更方便。"

"摘叶子？什么叶子？"小神农睁大眼睛看向师傅。

"采摘大青叶。"朱有德简洁明了地回答。

"它长什么样？我看到过吗？"小神农问道。

"那就要看你是不是用心了。大青叶是两年生的草本植物，山上很常见。它主根很深，茎直立，上部多分枝，叶片互生，为椭圆形。前面尖，边缘全缘，或者稍带波齿。茎顶的叶子没有柄，是全缘的。"朱有德缓缓道来。

"我好像真没注意过。它会开花吗？"小神农在心里怪自己太粗心。

"当然开花。花序为顶生，圆锥状，花朵有4个萼片，披针形，长2～3厘米，花瓣4个，是黄色的，为宽楔形，基部有不明显的短爪，边缘全缘，6个雄蕊，1个雌蕊，花柱界限不明显。每年4～5月开花，5～6月结果，果实是长圆形的短角果，扁平状，边缘有膜质翅，壳内有一粒种子，是淡褐色的长圆形。"

两个人说着，已经找到了大青叶，朱有德指着植物说："你看，就是它了。摘的时候要捡下面的老叶子摘，知道吗？"

"为什么呢？"小神农不理解。

"老叶晒干之后会皱成团块状，颜色也从绿色变成黄棕色，偶有破碎。闻一下，有微微的苦味，就可以入药使用了。如果是嫩叶子，则不容易炮制，因为一晒就会碎掉。"朱有德摘下一片叶子，拿给小神农看。

"那它有什么功效呀？"小神农的问题一个接着一个。

"大青叶味苦，性寒，功效就在于清热泻火，解毒散瘀，凉血止血。"朱有德说着，已经采摘了好多叶子。

小神农看师傅已经摘了好多，就不再问其他问题，跟着一起摘起大青叶来。

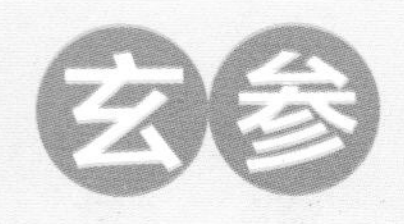

——专攻肺热的玄妙中药

吃过晚饭，朱有德拿着一本书坐在灯下陪小神农阅读。可是，小神农却有些坐不住，一会儿拨拨灯花，一会儿逗逗鸟笼里的鸟，完全看不进去。

朱有德见徒弟不用心，便说：“小神农，我给你出个谜语猜怎么样？”

“好啊好啊。”小神农赶紧点头，这可比读医书有趣多了。

“八十岁的老汉。打一味中药。”朱有德说。

“这太简单了，就是白头翁呀。”小神农一下就猜中了。

“再猜一个，空中吊和尚。打一味中药。”朱有德看着小神农，

只见他眉头悄悄皱起来，嘴里还反复念叨。

好一会儿，小神农才说："师傅，我猜不出来。是什么中药呢？"

"当然是玄参啊。"朱有德晃着脑袋告诉小神农答案。

"玄参？为什么会是玄参呀？"小神农更加不解了。

"这就是你不好好读书的结果。所谓玄者，深奥也，参为参悟之意。和尚是做什么的？是参悟禅学的呀。把他吊起来，是不是就是悬空了？悬与玄为谐音，很容易得出'玄参'的结果嘛。"朱有德心里暗自笑起来，小神农不好好读书，自己也不能强逼着他读，只好找这样的理由骗他读了。

"这样通倒是通的，可是，玄参这味中药我还没学到呀。"小神农说。

“那就更要好好学了，你不爱看书，什么时候才能学到呢？”朱有德循循善诱道。

“师傅，我错了。可是，我真觉得读书没意思，还总有不认识的字，不如您帮我多讲讲吧。比如这味玄参，是什么药呀？”小神农说的是实话，每每看书，都要抱着大词典，别提多麻烦了。

“你这个小懒虫！玄参是多年生草本植物，它多生于山坡、溪边，根为长圆柱形，茎由地下长出，呈四棱状，带有沟纹。茎下的叶子对生，茎上则互生，都是披针状的，边缘还有锯齿，反卷，有突尖，为骨质。”朱有德笑着解释道。

“这种中药真适合这个名字，居然长了带骨质的突尖，那它开花吗？”小神农的兴趣被提起来。

“每年7～8月开花，花序为聚伞圆锥状，轴上有腺毛，花萼分5裂，裂片边缘带膜片。花朵是褐紫色的，而且上唇长于下唇，雄蕊退化。在8～9月会结卵形的蒴果。”朱有德细细地描绘着玄参的

样子。

“那是用叶子入药呢，还是用果实？”小神农想了一会儿，又问道。

朱有德摇摇头，“都不是，玄参以根入药。它的根茎如羊角状，微弯，表面灰黄，有明显的纵沟，有时还会带有细根痕。但质地很硬，不容易折断，断面为乌黑色，比较光亮。闻一下，还会有焦糖味呢。”

“那有什么功效呢？我还没见过这种药呢。”小神农说。

“玄参味甘、苦、咸，性微寒，归肺、胃、肾经，书中说‘玄参，味甘微苦，性凉多液，原为清补肾经之药。又能入肺以清肺热，解毒消火，最宜于肺病结核，肺热咳嗽’。所以，它与生地黄几乎可以同用。”朱有德打开书中讲玄参的那一页，指给小神农看。

“这里就有对玄参的详细解读，你自己读读看。”

小神农拿起书，果然津津有味地读起来。朱有德看着他认真的样子，满意地笑了，心想：对付小孩子，还得讲究方法才行。

白茅根

——物美价廉的凉血药

每天秋天，田野里就会长出一种带着白色长毛的植物。农民们总是在它的叶子干了之后，在田里点把火烧掉。朱有德的小园子周围也有，但他却不许小神农烧。

“师傅，要是不把它们除掉，明年会长更多的。”小神农不理解师傅的做法。

“这是白茅根，是很好的清热解毒中药。应该挖出来，晒干入药，一烧不就什么都没有了吗？”朱有德说。

“啊？它是药呀？我只知道它的根可以吃，甜甜的，但不知道还有药用呢。”小神农不好意思地说。

“你看，它的叶子如同剑形，由根茎上抽出，而它的叶鞘无毛，质地又稍硬，顶端尖尖的，可以割了喂牲口。这白色的毛毛算是花序了，它直立生长，先长出披针形的小穗，外面有细小的毛包着，在春天时可以剥开来吃，对不对？”朱有德知道，太平常的草药就容易被忽略，所以他要加强小神农的记忆。

“对，师傅，我春天的时候就吃过，嫩的时候好吃，有点甜。”小神农高兴地说。

“可是，这穗状老了之后，就由尖部钻出，形成这样的白毛状穗子。不过，你仔细观察就会发现，它也开花。于内稃外，有不明显的细小花朵，花药为淡黄色，等到花谢之后，就变成了细柱形的颖果，颜色是棕褐色的，就覆在白毛表面，看到没有？”朱有德指给小神农看。

“我看到了，一抖就会掉下来呢，这就是种子了对吧？”小神农用力地抖着手里的白毛长穗。

“对，可以这样说。它的根茎就是药了，为长圆的柱形，有时还会有分枝，一般长30～60厘米，表面乳白色。有微微隆起的节，间距约3厘米，质韧不易折，里面有纤维性，中间还有一个小孔。将它晒干，切段，可炒制，也可生用，就可以起到清热解毒，凉血止血的功效了。”朱有德边说，边挖起白茅根来。

“师傅，我来帮您挖，以后我再也不烧白茅根了，将它挖起来，炮制中药，物美价廉，烧掉真是浪费了。”小神农像个小大人一样，郑重其事地说，一下就把朱有德逗笑了。

板蓝根 ——清嗓子的降火药

半夜时分，朱有德听到门外有声音，药堂的门似乎被打开了。他悄悄起床，就看到药堂里有灯光，走到窗前一看，原来是小神农正在到处翻药材呢。

“小神农，你半夜不睡觉，在翻什么呢？”朱有德走进药堂问。

“师傅，您醒了？”小神农被吓了一跳，说，“我本来睡着了，可是嗓子疼得要命，把我疼醒了，咽口唾沫都疼。我就想起上次您给我煮的山豆根，所以想找一点煮水喝。”

朱有德让小神农张开嘴，看到他的咽部确实有点红，再摸下额

头，也不发热，便说："没大问题，就是有点感冒，喝点板蓝根就好了。"说着，朱有德从下角的抽屉取了一些块茎状的药材，放进药罐中煮起来。

"师傅，上次不是吃的山豆根吗？怎么这次又变成板蓝根了？"小神农被弄迷糊了。

"学医要学会依病开药，不能什么病都用一种药啊！这些你以后慢慢就懂了。"朱有德将自己的外套披在小神农身上，认真地煮着药。

"这板蓝根是专门治嗓子疼的吗？"小神农忍不住好奇，他拿着一片根茎看个不停，发现板蓝根的药片都是圆柱形的薄片，直径3～8毫米，表面有皱纹，并带有支根痕，木质很坚实，但脆脆的，一掰就断开了。药材的断面处是黄白色，外表木质则为黄色，有微微的甜味。

"《中药志》中说，板蓝根清火解毒，凉血止血，治热病发斑、丹毒、咽喉肿痛等症。这是因为它本性凉，归肝、胃经的缘故。"朱有德趁机又给小神农讲起中药知识来。

“师傅，它长什么样子啊？我们山上有板蓝根吗？”小神农真想看看这板蓝根长成什么样。

“板蓝根是菘蓝的根，为二年生草本植物，根茎深长，外皮灰黄，头部略膨大，顶端有一下陷的窝，周边还有暗绿的叶柄残基，表面带有密集的疣状凸起物。”朱有德说着，又打开盖子看了看药，然后坐回来接着说，“说起叶子，你大概在山上看到过。叶片为互生，长圆状，下部的叶子大，向上变小，叶片基部呈箭形，半抱茎生长，是全缘的。到5月份会长出总状花序，花很小，没有花苞，花梗细细的，有4片花萼，绿色的，上面有4个黄色花瓣，如同倒卵形。”朱有德说得很仔细。

“哦，我知道了。是不是花谢之后，就会长出长角果实，扁平翅状，里面有一粒种子？”小神农恍然大悟。

“对，就是它了。它的根就是板蓝根。不过，板蓝根有两个品种，我们刚说的是北板蓝根，它是菘蓝的根。还有一种叫南板蓝根，它是马蓝的根，只生活在南方地区。”

“那它们长得一样吗？”小神农立刻问。

“不是同一种植物，当然会有区别。马蓝是多年生的草本植物，为灌木状，茎直立生长，可高1米左右，茎上有钝棱。叶子为对生，如倒卵状，前端尖，后端渐狭，边缘有齿。它开的花是穗状的，苞片像叶子，长2厘米左右，有5个全裂的萼片，其中4个线形，另一个完整。花冠像个漏斗，是淡紫色的，分成5裂。花谢后，会结蒴果，里面有4粒种子。”

“那它的根长什么样？和菘蓝的根也不一样吧？”小神农觉得药物真奇怪，不是同一种植物，居然有同一种药性。

“嗯，它们有些许不同。马蓝的根是灰褐色的，带有膨大的节，节上有分长的须根。它表面有细皱纹，容易断，断面又不平，带有纤维状，中间有大的髓，气味极淡，几乎闻不到。”朱有德说着，药已经煮好了，他倒进碗内，让小神农喝下去。

“师傅，我们什么时候去挖板蓝根？我要亲自看看才行呀。”小神农着急地说。

“等你嗓子好了就上山，不然病情要加重了。”朱有德盯着小神农喝好药，看着他上床，才回自己房间去了。

薄荷——祛皮肤风热的清凉丸

秋天原本就干燥，加之小神农总嗓子疼，朱有德便想到做一剂方便食用又不刺激的润喉药。所以，一早起来，他对着园子里种的那盆薄荷下手了。

朱有德摘了很多薄荷叶子，然后清洗干净，捣碎成泥，加了些蜂蜜进去，调成黏稠状，最后分成一个一个的小丸，放在碗内。小神农一起床，他就说："小神农，快来，这里有好吃的东西。"

小神农听了，兴奋地跑过来，一边四处寻找一边问："什么好吃的东西呀，师傅？"

“就是这个呀。”朱有德将碗放到小神农跟前。

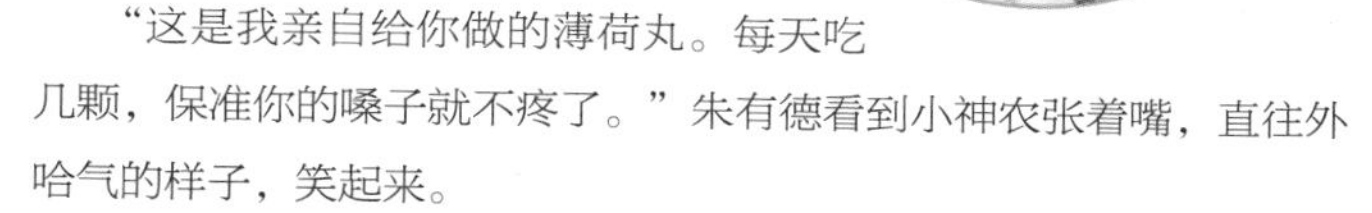

“这是什么？有蜂蜜的味道呀。”小神农鼻子特别灵，早闻到甜香的清凉味了。他用小勺子取了一丸放进嘴里，立刻张大嘴巴，好半天才说：“师傅，好凉啊，这是什么东西？”

“这是我亲自给你做的薄荷丸。每天吃几颗，保准你的嗓子就不疼了。”朱有德看到小神农张着嘴，直往外哈气的样子，笑起来。

“薄荷丸？是薄荷做的吗？”小神农问。

“对，就是园子里那盆薄荷的叶子做的。”朱有德说。

“啊？”小神农呆呆地站在那里，要知道，园子里那盆薄荷不但长得嫩绿，惹人喜爱，而且是自己花了不少心血，经常浇水才长大的。它的叶子多好看啊，长圆状的披针形，前面锐尖，带有侧脉，边缘有浅齿。前不久它还开出了球形的淡紫色小花，花才谢了不久，师傅怎么就把它吃掉了？

“这有什么奇怪的，它本来就是药呀。”朱有德看小神农一动不动地站在那里，就说。

“可是，养它很不容易的呀。”小神农着急地说着，将那盆薄荷端了过来。只见它差不多只剩下茎了，四棱形的茎上，还有四个槽，表面有细细的柔毛，好柔弱的样子。

“这有什么不容易？它是多年生草本植物，很多湿地边都有。而且，它根须匍匐生长，分多枝，非常容易繁殖的。”朱有德见小神农大惊小怪，便说道。

“那它有什么药性呢？可以用它给嗓子降温吗？”小神农只觉得嗓间一直凉丝丝的，好像有一股小风吹过一般。

“对，薄荷味辛，性凉，不但可以给嗓子降温，还归肺、肝经，起到疏风热，解毒行气的作用。中医书里就说‘薄荷辛凉，气味俱薄，浮而升，阳也，故能去高巅及皮肤风热’，所以，你要多吃才能祛热。”朱有德说着，又把那碗薄荷丸推到小神农面前。

“哎，薄荷呀薄荷，为了我的嗓子，我只好吃掉你们了。”小神农无奈地又取了一丸放进嘴里。朱有德与妻子在一旁看着他可爱的样子，都忍不住笑出声来。

菊花——专消烦热的美丽花朵

时间悄悄进入深秋，田间的菊花开了很多。这天，朱有德对小神农说：“我们去采点菊花。菊花晒干之后，可以入药，可以烹茶，是很不错的亦药亦食之物。”

小神农立刻点头，采花花草草是他最喜欢的事了。所以，他马上去拿药筐，和师傅出门去。

“师傅，我看隔壁李奶奶家的菊花开得又大又好看，怎么田间的这些都这么小呢？”小神农问。

“菊花的品种很多，不过大致可以分为药用的，以及观赏的，当然，还有专门用来泡茶喝的。观赏的菊花不但大，而且颜色多，黄

色的、紫色的、白色的都有。但可以入药的，就以黄色、白色为主了。”朱有德一边说，一边已经开始不断采摘小菊花了。

“哦，原来是这样。菊花入药是治什么病呢？”小神农也开始摘起菊花来。

“菊花味甘，性微寒，可以清风热，平肝目。书中说过，白色、黄色菊花以头状花序入药，专治心胸烦热，疔疮肿毒。”朱有德捡着花苞饱满、半开不开的采，而小神农则只采完全开放的。

“师傅，我觉得这菊花特征挺明显的，它的茎直立生长，分枝，枝上有柔毛，叶子如同披针状，不过都有羽裂，还带一个短柄。让人一看，就知道它是菊花的叶子。”小神农一边采，一边观察。

“菊花的叶子有特点，花朵也很有特点呀。你看，它都是头状

花序，生于茎顶，一朵或者数朵生长，舌状花瓣的就是雌花，筒状花形的就是两性花了，虽然它颜色多，但总体比较类似，所以很好认知。”

“师傅，我觉得我们明年可以自己种一些。种在园子里既好看，到时用着又方便，您说呢？”小神农突发奇想。

“想法不错。不过，药用的菊花多为黄菊、祁菊、贡菊、济菊以及杭菊、亳菊、滁菊等品种，你说种哪一个才好呢？”朱有德看着小神农，不由得笑起来。

“啊？这么多品种啊？那还是算了，都种怎么可能呀？还是来野外摘点野生的吧。”小神农一想到那么多品种，便头都晕了，马上闭上嘴巴，快速地摘起菊花来。

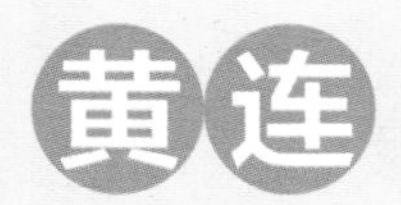

黄连——降火解毒的大苦大寒药

朱有德为了让小神农多看书多识字，特别给他一本《三国演义》。没想到，这招还真好用，小神农一下就被迷住了。他不但自己爱看，还要给师傅讲里面的内容，这让他认字的速度增进不少。

这天中午，大家一起吃饭。吃着吃着，小神农"哎哟"一声，马上将嘴里的饭吐了出来。朱有德就问："又怎么了？"

小神农不好意思起来，说："没事，没事。"

"那你为什么要把饭吐掉呢？"朱有德不解地问。

"师傅，都是我自己不好，淘米时没淘干净，结果吃到一粒沙

子，硌了牙，这才真是哑巴吃黄连呢。”小神农噘起嘴来。

“哟，你现在还知道用歇后语呢？你知道为什么哑巴吃黄连会有苦说不出吗？”朱有德笑起来。

“那还不是因为哑巴不会说话嘛。”小神农心想，师傅出的题也太简单了。

“真是这样吗？那我们是不是也可以说哑巴吃米饭、吃馒头有苦说不出呢？”

“这个……”小神农挠起头来，是呀，为什么一定要是黄连呢？想到这他就问：“师傅，黄连是什么？”

“你呀，到现在还不知道黄连是什么。它是一味中药，《本草纲目》中说，黄连大苦大寒，用之降火燥湿。所以，平时遇到高热、心烦、牙痛、泻痢等症，都会用黄连来清热燥湿，泻火解毒。”

“原来是这样呀，怪不得叫有苦说不出，原来是说黄连太苦了。可是它长什么样子呀？难道哑巴不知道那是黄连吗？为什么还要吃？”小神农孩子气地追问。

“黄连是多年生的草本植物，根茎为黄色，所以才被称为黄连。它茎上带须根，分枝，叶子基生，如三角形，中间有裂片，为纸质。叶片羽裂处有短柔毛，边缘有齿。每年2～4月开花，花序为二歧或者多歧聚伞状，3朵花并生。总苞片3个，羽状分裂，5片花萼，黄绿色。花瓣是线形的，长0.5～0.7厘米，中间有一个蜜槽，雄蕊多。花谢之后，会长蓇葖果。”朱有德趁机给小神农讲中药知识。

“是它的果实入药吗？”小神农问。

“不，黄连一般以根茎入药，根茎晒干之后，外表为黑褐色，断

面为鲜黄色，味道极苦。”朱有德看小神农听得认真，便继续说，“不过，黄连品种多样，被分为味连、雅连、野黄连、云连，其中以四川峨眉一带产的野黄连最好。”

“其他黄连长得与野黄连一样吗？”小神农追问道。

“有一些区别，味连的枝为鸡爪状，又叫鸡爪黄连。它的根茎外皮黄褐色，栓皮剥落处有红棕色，分枝上会有断横纹，结节膨大。制出的黄连坚实而硬，皮部暗棕色，中间金黄色，中心有红黄色。”

“那雅连呢？”

“雅连外表黄棕色，有间断横纹，结节明显，制药坚实，断面不齐，皮为暗棕色，中间深黄色，有明显射线，为空心。云连则更好认一些，它茎小，细，弯曲，外皮黄绿，其他方面就与野黄连相近

了。”朱有德看小神农似懂非懂，又说，“你必须要多看药书，才能充分理解它们的不同。”

“师傅，我知道了，我晚上就把各种黄连的不同总结出来，然后做成笔记。”小神农懂事地说完，才又继续吃饭了。

夏枯草

——目痛热毒仰仗它

这天，外村的人来请朱有德出诊。朱有德想想来回十多里路，走起来实在辛苦，天气又不好，所以就对小神农说："师傅出诊，你就在家看药堂吧。不过，如果有人来买药，你可要小心操作，不要弄错了。"

"放心吧师傅，您早去早回，路上要小心啊。"小神农爽快地回答。朱有德这才安心出门去了。

一个上午来了好几个患者，但因为朱有德不在，那些人只能空手而归。下午来了一位患眼疾的患者，听说朱有德不在，就说："要不你给我开点夏枯草吧，以前朱大夫也是这样给我开的，用着效果还

不错。”

“夏枯草？”小神农这下傻了，这个草药名字他可是连听也没听说过呢，“可是，我不知道夏枯草长什么样呀，要不等师傅回来再给你吧？”小神农脸红红的，只好实话实说了。

“这要等到什么时候，我认识的，你打开抽屉，我自己找。”那个患者说着就要到柜台里面自己找药。

“这可不行，你弄乱了药材，师傅会怪我的。”小神农拦着他不让进。

“你这孩子怎么回事，我买药你说不认识，我自己拿你又不让进，你还做不做生意呀？”那位患者干脆与小神农吵起来。

就在这时，朱有德及时赶回来了，问明白是怎么回事，马上给患者赔不是，又给开了方子，好言好语地送走。小神农一直在自己房间里，气乎乎地噘着嘴不说话。

“好了，今天这件事虽然你做得没错，可是你也要反省，哪有药堂的伙计不认识药物的呢？”朱有德进到小神农的房间，轻声安慰他。

“可我真的还没学到夏枯草嘛。他自己如果拿错了药，回头还不是怨我们？”小神农不服气地说。

“对，你想得没错，但这是不是说明你要快点学习了呢？师傅一个人忙不过来呀。”朱有德说。

“好吧，师傅。那夏枯草长什么样子？他有眼疾，为什么要用夏枯草呢？”小神农可是一心要帮师傅的，所以下定决心以后每天多学几样中药。

“夏枯草是一种多年生草本植物，高13~40厘米，茎直立生长，为淡紫色，带细毛。它的叶子椭圆形，全缘，有的也会有小锯齿。每年5~6月开花，花序顶生，呈穗状，苞片如同肾形，背面有粗毛。花萼是唇形，前面有粗毛，后面光滑，上唇裂3瓣，为披针形，下唇裂2瓣，是三角形。花冠白色或者紫色，花谢之后会长褐色的小坚

果，长圆形。”

朱有德带着小神农到药堂，拿了药材给他看：“你看，这是晒干后的样子。它脉纹明显，外面有白毛，果实、叶片都可入药，细闻有清香味。”

小神农拿起夏枯草闻一下，果然有淡淡的清香，接着问：“为什么用它治眼疾呢？”

“这是因为夏枯草味苦，性寒，归肝、胆经，可以清火明目，祛热毒。《本草纲目》中说‘黎居士《易简方》，夏枯草治目疼，用沙糖水浸一夜用，取其能解内热，缓肝火也。楼全善云，夏枯草治目珠疼至夜则甚者，神效，或用苦寒药点之反甚者，亦神效’。现在你知道了吧？”朱有德一一讲给小神农听。

“师傅，我现在明白了。而且我也知道自己错了，以后我一定认真学习，为师傅分担工作。”小神农低下头，羞愧得小脸通红。朱有德却笑了，心想：这个徒弟很有天份，什么事一点就通，自己以后要更用心教导才行。

青葙子——清肝热的好帮手

朱有德行医三十多年，不但口碑好，人缘也不错，和邻居相处得极为融洽。眼看着中秋节将近，朱有德准备了些糕饼，让小神农给隔壁李奶奶送去。

没一会儿工夫，小神农就拎着一大篮子月饼回来了，说："师傅，这是李奶奶自己做的月饼，她说让我们也尝一尝。"

"嗯，不错，你快吃吧。"朱有德笑着说。

"不过，李奶奶好像病了，眼睛红红的，还总是流泪。"小神农吃着月饼，和师傅聊家常。

"是吗？秋季天干，再加之长时间烙制月饼，肯定风热致涩。我

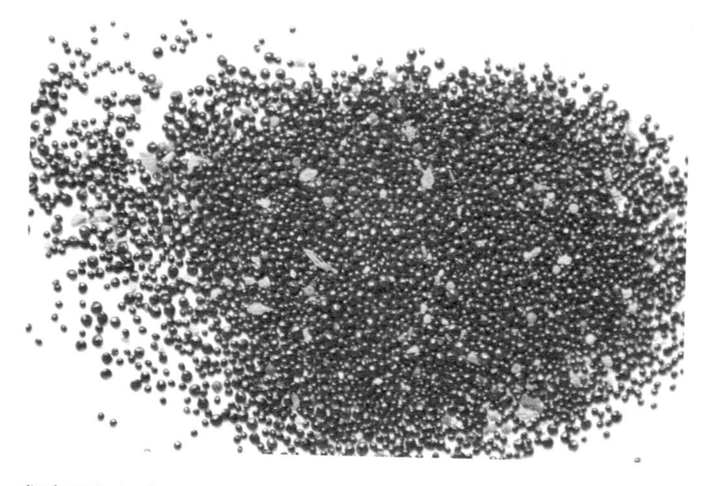

们今天上山时可以采点青葙子回来，给李奶奶用。”朱有德说。

“青葙子是什么？”小神农立刻问道。

“青葙子味苦，性微寒，归肝经，清肝热最有效，更能解毒消肿，对于眼睛流泪、生翳、昏花、目赤都有治疗作用。”朱有德说。

“它长什么样啊？我怎么不认识？”小神农着急起来。

“走吧，上了山你就认识了。”朱有德故意卖关子，带着小神农上山去。

上了山坡不远，朱有德就指着前面的植物说：“你看，这就是青葙子了。这个时候采收正好，种子都成熟了呢。”

小神农循着师傅指的方向看去，只见几株直立的茎秆，表面绿中有红色，带分枝，全体无毛，呈条纹状。

他走近青葙子，看那叶子是披针状的，长5～8厘米的样子，和茎一样，也是绿中带红，虽然有叶柄，但是不长。不过，他发现在茎端有卵形的胞果，用手轻轻一捏，里面便掉出很多扁圆形的种子来，表面黑红，很亮，中间微微隆起，侧边有种脐。

“师傅，这是它的种子吗？我们是要种子对吧？”小神农问。

“种子也要，茎叶也要，它可是全草入药的宝贝。”朱有德先轻轻将胞果摘到布袋里，再割下茎叶放进药筐。

“师傅，它是什么时候开花的？我只看到种子，却没看到花呀。”小神农不满足地说。

“它每年5～8月开花，当然早谢了。不过，它的花是多数密生的。在茎端，生出单一的圆柱状穗形花序，长3～10厘米，苞片披针形，光亮，中间有中脉，白色。花被是矩圆形，开始为白色带红，后来就慢慢变成白色了。花药、花柱都是紫色的，子房还有短柄。明年，你可以再上山来看。”朱有德说着，继续向上寻找。

小神农手里拿着一株青葙子，想得出了神。他呆呆地看了好久，才发现师傅已经不见了，嘴里叫着：“师傅，您等等我呀。”然后朝山坡追去。

决明子 ——除风散热的种子

朱有德出门给人看病已经三天了。患者病重，他必须在那里住几天才行。这样，家里只剩下小神农和师娘两个人，他们不仅要抓药、卖药，还得清理草园，炮制草药，忙得不可开交。

这不，师娘很快就不舒服起来，眼睛流泪不止，头痛、眼涩，明显是着急上火了。不过，这难不住小神农，李奶奶眼睛不好时，师傅不是用青葙子帮着调理的吗？他马上去药堂找青葙子。

可是，小神农找了半天也没找到。他想，不然我自己去山上采一些回来吧，就对师娘说："师娘，我去山上采点青葙子给您用，上次

李奶奶生病就是用这个的。”

师娘一听小神农要一个人去山上，当然不同意，说：“上山危险，你一个小孩子，不可以去。”

这下小神农没主意了，看着师娘不舒服，自己又帮不了忙，可怎么办呢？小神农急得团团转。突然，他眼前一亮，对自己说：“你怎么这么笨呢，《本草求真》中不是说‘决明子，除风散热。凡人目泪不收，眼痛不止，多属风热内淫，以致血不上行，治当即为驱逐；按此苦能泄热，咸能软坚，甘能补血，力薄气浮，又能升散风

邪，故为治目收泪止痛要药'？这不是比青葙子更好用吗？"

想到这里，他立刻从抽屉里找到了决明子，煮好了给师娘端去，说："师娘，您喝了这个药保证能好。"

"这是什么药？可不能乱吃的呀。"师娘不放心地问。

"这是决明子，书中说决明子味苦、甘、咸，性微寒，归肝、肾、大肠经，可以清热明目，排毒润肠，对眼睛流泪、涩痛、头痛都有治疗的作用。"小神农如同师傅一样，给师娘讲起药性来。

"我们小神农也可以做师傅了！你说说它长什么样子呢？"师娘一边喝着药，一边与小神农聊起天来。

"决明子是一年生的植物，茎直立，高1～2米，为偶数羽状复叶，叶柄上无腺体，但是小叶间有棒状腺体，叶子薄，纸质，如倒心形。叶子前端有小尖头，后端窄，两面有柔毛，连小叶柄上也有呢，很好看。"小神农一边回想决明子的样子，一边说。

"哦，是这样呀。那它开花吗？好不好看呀？"师娘又问。

"还挺好看的，但要到夏天才开花。花朵为腋生，一般一次开2朵，有细长的花梗，萼片5枚，有膜质，下部合成管状，外面还有柔毛。花瓣是黄色的，5瓣，上面两片稍长，下面就短一些。"小神农很想像师傅那样专业讲述，可是，明显与师傅还是有很大差距。

"是用它的叶子煮的药吗？"师娘说，"感觉很苦呢。"

"不是，是用它的种子。它的花谢了之后，会长出细长的荚果来，里面会有暗棕色的种子，光滑，明亮，背腹有凸起的棱线，很坚硬，味苦，就像绿豆差不多，不过颜色不一样。"小神农细细给师娘解释了好久。

等朱有德回家时，妻子的眼睛已经没事了。当他听说是小神农用决明子给治好的，忍不住笑着说："真是孺子可教呀，这么快就会按病用药了。"

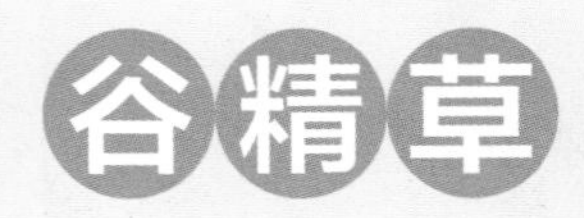

谷精草
——泄热清毒明目草

张大爷这次出门的时间很长，足足有一个多月，回来的时候天气都要冷了。小神农一见他就问："张大爷，您去南方习惯吗？那边是不是特别暖和？"

"江苏算不得南方，虽然比我们这里要暖一些。"张大爷笑着说。

"那您为什么一定要去那边收药材呢？"小神农倒不明白了，既然都一样，就在自己家附近多好呀。

"因为那边湿度比这边高，有些药是喜欢潮湿环境的呀。比如说谷精草，它就喜欢湿润的环境，所以这边很少，那边却很多。"张大

爷耐心地说给小神农听。

“谷精草？那是什么药？有什么功效呀？”小神农第一次听这个名字，立刻追问。

“这就要让你师傅告诉你了，我这嘴可说不清楚。我只知道药材晒得好不好，完整不完整。”张大爷哈哈笑起来。

“师傅，什么是谷精草呀？”小神农问朱有德。

“谷精草是一种草本植物，叶子线形，有点半透明，为丛生，长5～20厘米。叶片有横格，为全缘状。”朱有德说着，将一边的医书拿过来，“看，这上面不都记着呢。”

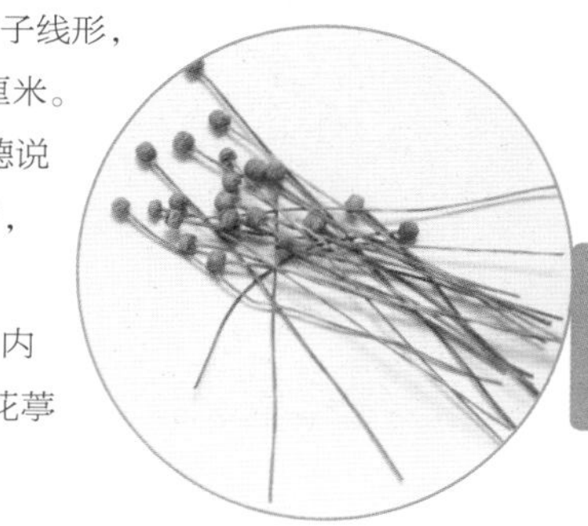

小神农立刻看医书中记载的内容。原来，谷精草也开花，而且花葶

细高，有20多厘米，带有4～5个棱，扭转状。花序如球形，绿色，总苞片为倒卵形，下部硬，带有长毛，上部软。它一次可开30～40朵小花，花萼片如佛焰状，外侧开裂，花冠如锥形，裂3片，肉质，在顶端还有黑色腺体。

“师傅，我们这边没有谷精草吗？这个时候应该正好采摘呢。书中说，7～12月是花果期。”小神农追着师傅，想要去山上找谷精草了。

“这边很少见，特别是这种干燥的时节。你还是认真去背一背谷精草的药性吧。”朱有德与张大爷下起棋来，完全顾不上小神农了。

“这个我早看过了。谷精草味甘，性凉，归肝、胃经，可疏风泄热，明目解毒，对不对？”小神农不喜欢下棋，为不能上山急得团团转。

“你可没说它的种子什么样，这不对吧？”张大爷在一边念叨。

“张大爷，原来您懂的呀！还说自己不知道中药怎么长的。”小神农马上抓住了张大爷的小辫子。

“我不会说，还不知道长什么样子吗？不然怎么收草药。”张大爷笑起来。

“种子我也知道呀。小花谢后，花苞长成灰白色，上面有白色的细粉，搓开，里面就是灰绿色的圆珠形种子啦，对不对？”小神农也不甘示弱。

“对对对，快去厨房看看你师娘今天做什么好吃的。说我晚上在这里吃饭，快去。”张大爷要输了，开始往外赶小神农。

“您这回输定了！师傅，您晚上要罚张大爷三杯酒才行。”小神农故意气张大爷，说完就跑了。

——密集开放的清热花

小神农已经好几天没有上山了，今天师傅一说要上山，他匆匆吃了半碗饭，就催着师傅出门。

“师傅，我们早去早回，现在白天可短了。”小神农找着理由说道。

“我就知道，你在外跑习惯了，都不愿坐在房间里，这以后怎么给人看病呀？”朱有德不满地说。

“可您不是说要我先把体质锻炼好吗？我不上山，怎么锻炼呀？”小神农却振振有词。

“你呀，越来越牙尖嘴利了。”朱有德无可奈何地笑起来。

师徒俩一路斗着嘴一路走，很快，朱有德就在向阳的山坡上看到了一株黄绿色的植物。他马上走过去，仔细观察起来。只见植物有2

米高的样子，小枝灰褐色，略呈四棱形，叶片对生，纸质，是椭圆形的。翻过叶片，背面和叶柄都有灰白色的星状茸毛；而且，背面的颜色要浅一些，有侧脉。因为季节的原因，感觉像快要枯萎一样。

“师傅，这是什么植物？很稀有吗？”小神农见师傅神情严肃，也不由得看那株植物。

“这应该是一株密蒙花，现在已经看不到花了，不然你会被那花吸引的，很漂亮。”朱有德守着密蒙花不肯离开。

“密蒙花是什么花？花朵开成什么样？”小神农在心里遗憾，又没看到花，只好自己想象了。

“它是3～4月开花的，花序呈聚伞圆锥状，顶生，长5～15厘米。花梗很短，小苞片如披针形，有短茸毛。花萼钟状，连同花冠都有星状茸毛和腺毛，花冠顶端紫色，后面变白，如卵形。开放时，一个花序可开很多朵，非常漂亮。”朱有德说。

“哦，如果我能看到它开花的样子就好了。”小神农说，“我一听它的名字，就知道会很好看。那它会结果吗？”

“当然会结果，而且一次就会结很多颗，都是长圆形的，两端具翅状，但很小，长1毫米左右。”朱有德说着，开始动手挖密蒙花了。

“师傅，我们是要挖回家去种吗？”小神农问。

“不，密蒙花的花、叶、根都是药。它的花可清热利湿，根则可以清热解毒，所以要都带回去利用起来。”朱有德挖得很小心。

“师傅，我帮您挖吧，没想到它的花和根还有不同的效果，真是好东西呀。”小神农放下药筐，轻手轻脚地挖起密蒙花来。

——明目解毒的中药

十天过去了，张大爷收集的草药由南方被源源不断地被送到家里。他首先给朱有德送了一份来，遇到那些平日在本地不多见的，他总是会先想着这位老朋友。

小神农与师傅忙着清点药材，各种不同的药让小神农看得眼花缭乱。他看到一个大布袋子里是一些被扎成一小团一小团的、圆柱状的药材，表面棕黄色，断面发白，叶子已经晒干，皱皱的，如同三角形，边缘不规则。

“师傅，这是什么药？连枝带叶都有呢。”小神农问。

朱有德拿起药来看了看，然后放在鼻子下闻一闻，说：“嗯，是

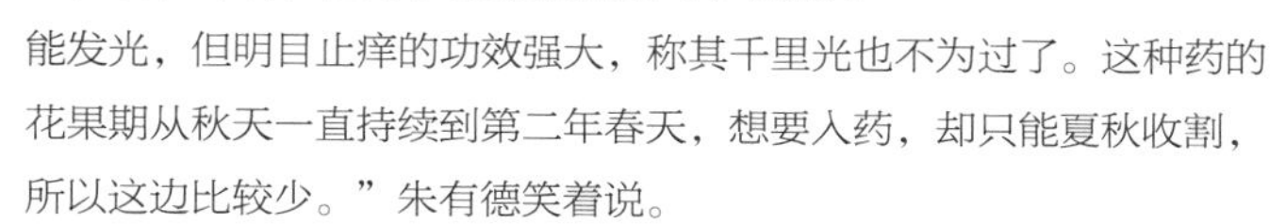

上好的千里光，这种药在这边可不多见。”

“千里光？这名字真奇怪，是能照一千米远吗？它也不亮啊。”小神农马上拿起一小团，用小手捂着观察。

“哈哈，小神农，这是药，又不是玉石，怎么能有光亮呀！它是一种多年生的草本植物，味苦，性寒，最能清热解毒，虽然不能发光，但明目止痒的功效强大，称其千里光也不为过了。这种药的花果期从秋天一直持续到第二年春天，想要入药，却只能夏秋收割，所以这边比较少。”朱有德笑着说。

“它长什么样呢？看这个样子，比较细小呀。”小神农推断说。

“细是比较细，但高可以长到2～5米呢，呈攀缘状生长，上部多分枝，叶互生，为椭圆的三角形，前端尖，基部为戟形，边缘有缺刻的齿牙，近乎全缘，面片两面有细软毛。”

“我知道，它的花肯定是黄色的，而且有5～6瓣。”小神农早在干的药材中看到了花的样子，抢着说。

“对，它是茎顶生的花序，排列成伞状，总苞为圆筒形，苞片有10～12片，长椭圆形。花瓣不但是黄色的，还是舌状的，雌雄同株。它结出的果实也是圆筒形瘦果，带着细毛，是白色的。”朱有德将一个小团打开，一一指给小神农看。

“师傅，我发现很多药都长在南方，是因为南方的环境更好一些吗？”小神农因为看到不新鲜的千里光，心里有些遗憾。

“草木与人一样，不会都住在同一个地方呀，对不对？不要遗憾了，等你长大一些，我就让张大爷带你出去走走，这样你的见识就可以增长了。”朱有德慈爱地说。

“谢谢师傅。”小神农立刻高兴了，麻利地收拾起草药来。

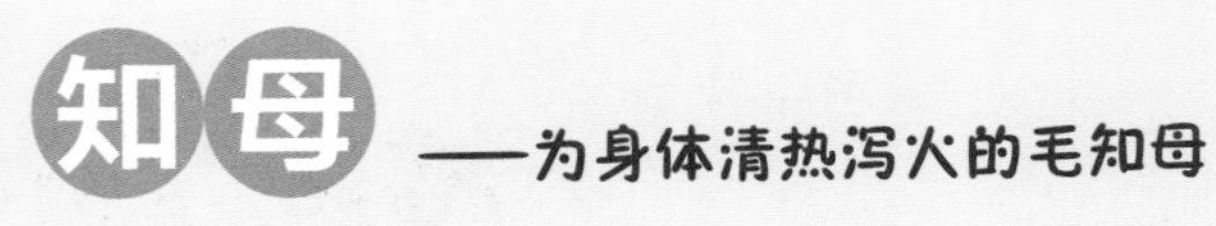

知母——为身体清热泻火的毛知母

天气越来越冷，小神农与朱有德好几次上山都没有什么收获，今天也是一样。小神农发愁地说："师傅，是不是过段时间就不能再上山了？"

"下了雪之后，山陡路滑的，植物也凋零了，除非有专门的冬季药物，不然就不来了。"朱有德说。

"这下可糟了，我要在家闷一冬天啊。"小神农眉毛紧锁。

"你上山原本是为了认药，难道不上山就不用学了吗？书中的知识那么全，比山上的药物还多呢，你说是不是？"朱有德知道小神农还是个孩子，凡事只能慢慢引导。

“这我是知道的，就是……”小神农话还没说完，突然话题一转，“师傅，您看那植物有意思吗？都要入冬了，它还这么绿呢。”

朱有德顺着小神农指的方向看去，在山坡的洼地处，一丛绿油油的长叶植物生机盎然，温暖的阳光照在上面，还可见叶上淡淡的光泽。

“过去看看，没准是好东西。”朱有德率先走过去。小神农也跑了过来。看看那叶子，细细长长，如同披针形，没枝条，叶由基部长出，叶片无毛，质稍硬，基部扩大，上面绿色，下面深绿。

“师傅，这是什么植物？您认识吗？”小神农觉得这种植物种在

盆里倒不错，冬天可以欣赏绿意呢。

“这是知母，又叫毛知母，是性味苦、甘，性寒的中药，归胃、肺、肾经，专门为身体清热泻火，生津润燥，治疗热毒骨蒸、虚烦淋浊等症。”朱有德也高兴起来，本以为今天要空手而归了，没想到遇到了这么好的知母。

“它是用叶子入药吗？还是用种子？”小神农左看右看，知母丛中虽然有花葶，也有脱落的花苞痕，但完全看不到花与种子了，“可惜种子已经脱落了。”

“它是用根入药的。花果期是6～9月，花茎就由丛中长出，为圆柱形，总状花絮，生成穗状。花朵有粉红色，也有淡紫色，花谢之后就会长出黑色的椭圆形种子。这时秋风一吹，种子就落入地下了。”朱有德说着就准备挖知母。

“师傅，我来挖吧，我看看它的根长什么样。”小神农说着轻轻割掉叶子，用药铲小心地挖起来。

不一会儿，一条长状、微弯曲的根就被挖了出来。小神农看到长叶的一端有残痕，而另一端则是黄棕色，略有隆起。根茎还有细小的分枝，质地很硬。

“师傅，这就是它的根茎吗？样子可不好看，我尝尝什么味道。”小神农说着就折断根茎，断面是黄白色，放进嘴里略有点苦，苦中还有甜味，“师傅，它黏黏的，有点苦还有点甜。”

“当年李时珍尝百药写下《本草纲目》，看来我们小神农也要尝百药有所作为了。”朱有德看着小神农认真的样子，哈哈笑起来。

栀子——泻火凉血高效药

因为不能经常上山，朱有德又想出了提高小神农学习积极性的好方法，那就是带他出诊。师徒俩经常在出诊的路上谈论药性、特征等问题，这样，小神农也就不那么闷了。

这天，朱有德去李家庄出诊，走到村头时，看到一株粗壮的栀子树，对小神农说："你瞧，栀子树的叶子还绿着呢，它是常绿灌木，开出来的花可香呢。"

"这个我认识，我们村也有一棵，夏天才开花呢。师傅，您看，那叶子里还有果实呢，是不是？"小神农眼尖，一下就在绿油油的叶子里看到了椭圆形的果实。

“哦，真的是。一会儿我们回家时，可以采一些。”朱有德也高兴起来。

“为什么？它有什么用吗？”小神农知道，那果实硬硬的，表面红棕色，虽然略有光泽，却并不能吃。

“它可是药，怎么会没有用呢？”朱有德在树下捡起一颗脱落的种子，“你看，它果皮很薄，外表有隆起的假隔膜，折断之后，里面是鲜黄色，这些扁圆形的棕红色小粒才是种子呢，它们聚在一起，呈团块状，细看表面上有细小的点，气味有些苦。”朱有德将果实剥开来。

小神农有所领悟：“师傅，我看到过它的花。是白色的，生在枝顶，花萼为圆筒状的绿色，花冠像个高

脚杯，有5个裂片，香气可浓郁呢。我还在想，如果它的花可以入药就好了。没想到，最好的却是果实呀。”

“其实，不只是栀子的果壳、果仁可以入药，它全体都有药用价值。你看这椭圆形的叶子，如同皮革一样，厚厚的，边缘没有分裂，采来晒干，就可以入药，起到清热的作用。”朱有德说。

“那栀子果实有什么作用呢？”小神农问。

“栀子果实的皮可祛肌肤之热，它的果仁可清内热，而且，不同

部位都可以起泻火、止血、凉血的作用。生栀子可走气分而泻火、焦栀子可入血分而止血。所以，栀子是归心、肝、肺、胃、三焦经的药，最能凉血清热，解毒利湿。”

“师傅，栀子可真了不起，不但开漂亮的花，还这么有用。”小神农由衷地说。

“这样的植物有很多，你回头多看看书就知道了。”朱有德抚着小神农的头，“快走吧，患者还等着我们呢。”说着便朝村子里走去。

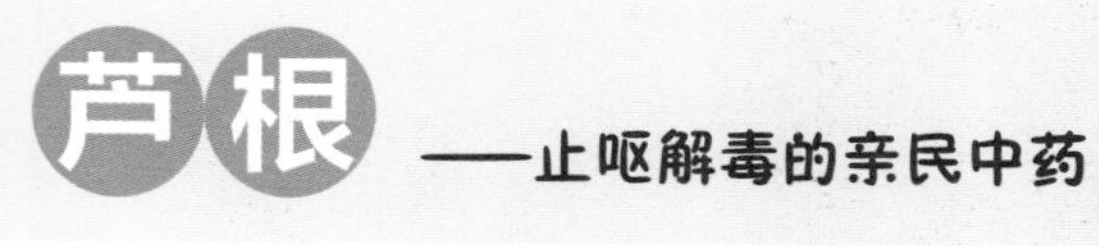

芦根

——止呕解毒的亲民中药

上山的机会少了，小神农看书的时间就多了，所以他平时总是坐在房间里研究草药。此时，朱有德正在院子里晒太阳，他看看天气不错，也没有风，便朝房间里喊道：“小神农，休息一下吧，我们出去走走。”

“师傅，要去哪里啊？”小神农一听，立刻就跑出来了。

“到村边的河边走走，挖点芦根。”朱有德回答道。

“芦根？是芦苇的根吗？”小神农追问道。

“对，就是河边常见的草本植物，你不会不认识吧？”朱有德故意说。

“怎么可能不认识呢，它的茎高2～5米，分节，节下有白粉，叶子2列式排列，有叶鞘。叶鞘抱茎生长，带细毛。叶子线形，灰绿色，如舌状，是不是？”小神农从小在河边玩，对这种植物可熟悉呢。

“嗯，不过芦苇可是开花的，你看到过吗？”朱有德又开始考小徒弟了。

“看到过。花序是圆锥形的，直立顶生，长15～25厘米，如同穗状。颖披针形，内颖长，外颖短。花朵暗紫色或者褐紫色，基盘有柔

毛，花为两性。而且，我还知道，它会长椭圆形的颖果，就在9～10月，对不对？”小神农心想，幸亏我平时观察得仔细，不然真被师傅考住了。

“对了，全对了。我们现在去挖芦根吧。”朱有德哈哈笑起来。

“师傅，芦根挖来做什么呀？它是药吗？”小神农虽然知道芦苇长什么样，可还不知道芦根有什么用呢。

“对，是药。它味甘，性寒，归肺、胃经，可以清热生津，可以止呕解毒，更能除烦利尿，用于治疗热病是又便宜又实用的中药呢。”

“那是用新鲜的还是要晒干呀？”小神农追问。

“两样都可以用。新鲜的芦根又叫活水芦根，它圆柱形，长短不一，直径约1.5厘米，表面黄白色，有光泽，前端有尖形，全体带节，节上有须根，为中空。但晒干就不一样了，表面变得有皱纹了，但它不容易断，而且稍显红黄色，节部也更硬一些。”朱有德将新鲜芦根与晒干的芦根都详细描述给小神农听。

“哦，我知道了。师傅，芦根长得很深，我们要用大铲子，到时我来挖，您捡就好了。”小神农早听得心里着急了，丢下一句话，便扛着大铁铲跑出门去。

天花粉——排脓泻火的蒌根

小神农在家连坐了7天，实在感觉无聊极了。中午的时候，他趁着朱有德在午休，一个人偷偷跑出门去。但他不敢跑太远，自己在小山坡上转了一圈，只想呼吸呼吸新鲜空气，然后匆匆忙忙下山。

走到山下时，他看到了一种大片叶子的植物。虽然天快冷了，但叶子还没有完全落尽。只见植物有分枝，枝上带柔毛，很长，攀着旁边的树生长。如果不是现在别的树树叶落尽了，还真不容易发现它。

小神农细看那叶子，叶片近心形，中间有深裂，边缘还有大粗齿，裂片长圆形，急尖，边缘有浅裂。叶子表面深绿色，背面淡绿色，两面的脉络上有硬毛，很粗糙。

“咦，这是什么植物？”小神农非常疑惑，想掰一条完整的枝下来，就用手将表面的土层扒开一些，发现下面竟有圆柱状的根，而且，越往下好像越粗，还有分枝，茎上有纵棱，带有白色柔毛。

“哎呀，挖不出来怎么知道它是什么植物呢？”想到这里，小神农找了块瓦片，用力地挖起来。

还好，前几天刚下过雨，土坡的土层并不很硬。小神农挖了半天，才取出一条相对完整的根茎来，非常粗壮呢。

这下，小神农完全不知道它是什么了，于是又摘了几片叶子，抱着根茎跑回家找师傅。这时朱有德也正四处找他呢，看他一身泥土跑回来，就沉着脸问：“你又偷偷上山去了？”

“师傅，我知道错了。您先别罚我，帮我看看这是什么植物呀，我挖了好久呢。”小神农一脸讨好地对师傅说。

朱有德看根茎呈圆柱状，表面黄白色，还带有细根痕入横长皮孔，断面是白色，可见黄色导管孔，并无异味，就问：“你怎么挖出来的这么大一根天花粉？”

“它是天花粉吗？师傅，这是叶子，您再看看。”小神农连忙把叶子递上去。

“对，就是天花粉，又叫瓜蒌根。它会开白色花朵，雌雄异株。花序为单生或者并生，长10～20厘米，带有纵棱和槽沟，有柔毛。顶端会开5～8朵小白花，苞片倒卵形，与花瓣相似，两者都在端部有柔毛。5～8月开花，8～10月结果。你挖的时候应该可以看到它有压扁状的椭圆果实，是淡黄褐色的，边缘有棱线，长约15厘米。”朱有德拿着叶子说。

“哎呀，我太马虎了，光顾上挖根，就没有注意到果实。师傅，它是用果实入药吗？我再去采吧。”小神农说着就要回去。

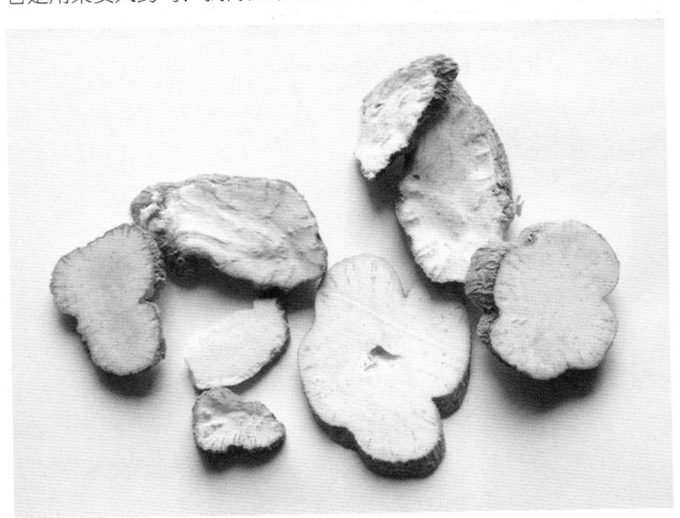

“回来！你这毛躁的习惯可要改了。天花粉是根茎入药的，这么大的茎都被你挖回来了，怎么还不知道它有什么用？难道《本草正义》都白背了？”朱有德沉下脸，想要好好教育一下小神农。

“师傅，我还没背完呢。”小神农立刻低下头去。

“《本草正义》中说，‘药肆之所谓天花粉者，即以蒌根切片用之，有粉之名，无粉之实’，这不就是告诉你用的是根茎吗？”

“那它的功效是什么呢？”小神农问。

“天花粉味甘、微苦，性微寒，归肺、胃经，主治热病，可清热泻火，排脓消肿毒。现在就回房间去把天花粉的特征、功效认真背诵，我一会儿再检查你！”朱有德说完，背着手回屋去了。小神农长吐一口气，心想：还好师傅没让我抄10遍，不然可真是惨了呢。

朱有德的院子里种着一丛竹子，它一年四季常绿，朱有德对它非常喜欢。可是，这天小神农发现，师傅却围着竹子掐起嫩叶来。

“师傅，都快入冬了，嫩叶越来越少了，好不容易长一片，您干嘛要掐下来呀？”小神农很不理解。

“我就掐几片，不妨事。”朱有德知道，小神农也喜欢这丛竹子呢。

“您掐了它做什么？”小神农知道，师傅做什么事一定有原因。

“师傅这几日感觉心燥口渴，与其喝茶，不如用这鲜竹叶泡水喝。

它味甘、淡，性微寒，归心、胃经，最能清热除烦，解毒利水。”朱有德解释道。

“原来竹子也是药啊？”小神农吃惊地说。

“那是当然了。竹子根茎粗短，茎秆纤弱，叶片互生，为披针形。”朱有德摘下一片竹叶，指给小神农看，“你看，它的叶面光滑，但偶有小刺毛。前端尖，后端圆，有多条平行脉，还有横脉，看上去就像小方格，对不对？”

“还真是，我之前只以为是有竖脉的呢。”小神农这下看清了，竹叶上有明显的横脉。

“不仅如此，你知道竹子也会开花结果吗？”朱有德引导小神农仔细观察。

“不会吧？竹子可是不开花的，它一开花就要死掉了。”小神农震惊了，他还从没听说过竹子开花的事。

“那就是你不懂了。竹子在8～9月间，会长出圆锥形的花序，长10～30厘米，小穗线如披针形，颖为长圆形，可见5脉，边缘有薄膜质，花朵白褐色。而且，花谢之后还会长深褐色的颖果，如同纺锤形状。只不过人们很少观察，所以不太清楚罢了。”

“那这叶子要晒干使用吗？”小神农真是搞不懂了，感觉竹子好神秘。

“不用，新鲜的叶子就叫鲜竹叶，如果晒干可就成淡竹叶了。”朱有德笑起来。

“淡竹叶？它有什么不同呀？不都是竹子叶吗？”

“不能一次都告诉你，不然你要弄混了，等师傅喝完茶再说吧。”朱有德卖了个关子，拿着鲜竹叶进屋去了。

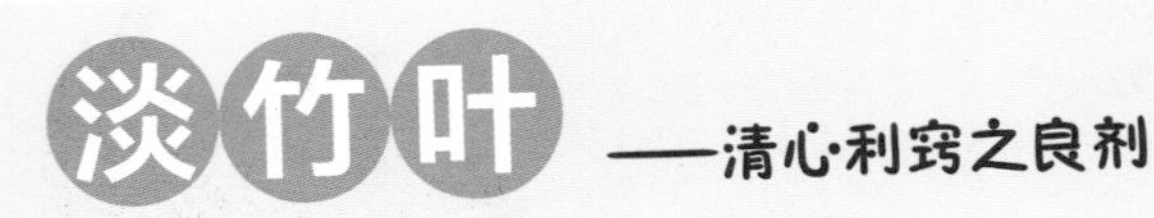

淡竹叶 ——清心·利窍之良剂

小神农可是个好奇心强的孩子，朱有德不告诉他淡竹叶是什么，他很着急，自己马上回房间去翻书。

他看《药品化义》里说："竹叶，清香透心，微苦凉热，气味俱清。经曰：治温以清，专清心气，味淡利窍，使心经热血分解。主治暑热消渴，胸中热痰，伤寒虚烦，咳逆喘促，皆为良剂也。"

可是，这也没说是新鲜的还是干的呀。那淡竹叶又是指什么呢？难道只是将鲜竹叶晒干就可以吗？小神农又翻了药性书，发现很多方子都分了鲜竹叶和淡竹叶，可见它们是不同的。

小神农这下是真的坐立不安起来，干脆扔下书，直接来到师傅的

房间："师傅，您喝完没有，给我讲讲淡竹叶是什么吧。"

"你呀，真是缠人。"朱有德说着笑起来，"淡竹叶不就是干燥的带叶茎枝嘛。也就是说小枝与竹叶都被炮制在药中，它晒干之后，表面皱缩，卷曲，但保持着黄绿色，气味淡弱，清香。"

"那和鲜竹叶有什么区别吗？都用新鲜的不行吗？"小神农感觉真麻烦，反正都是竹子叶，干嘛要弄这么多花样出来呢？

"还是有区别的。一是保存起来更方

便，二是鲜竹叶清心凉胃效果理想，可治上焦风热，但淡竹叶却以渗湿泄热见长，利尿排毒的功用更加强效。不过，药店中是不卖鲜竹叶的，你想用只好自己去采了呀。”

“这样就分成淡竹叶与鲜竹叶两种了？”小神农感觉有些失望。

“其实，严格说来，淡竹叶与鲜竹叶并不相同。淡竹叶是一种禾本科植物的干燥茎叶，属小草本，茎丛生，枝短，茎叶从地面向外伸展，与鲜竹叶的叶子是相似的。不同之处在于鲜竹叶是有细长杆的竹子，而淡竹叶长在野地里，枝短，茎细。也就是说，它们虽然都是竹子，但品种不一样，只不过后来人们发现它们同为禾本科，新鲜叶和干叶都是清热之药，所以也就不分得那么仔细了。”朱有德说完，喝了一口鲜竹叶茶。

“原来是这样啊。我还以为有多神秘，其实就是换了个品种而已，说到底都是可以通用的嘛。”小神农噘起嘴来，心想，看医书远不如采药有趣，根本就分不明白。

朱有德好像看透了小神农的心思，说：“圣贤说读万卷书，行万里路，读书有了理论，再实践就可以总结经验啦，你说是不是啊？”

小神农听得频频点头：“师傅，我知道了。我现在再去背一段书，明天您带我去山上吧。”说完，好像怕朱有德反悔一样，一溜烟跑掉了。

鸭跖草——清热解毒作用强

就在小神农为不能上山感觉无聊的时候，张大爷来了，还抱来了一本厚厚的书，进门就问："小神农，你师傅呢？"

"我师傅在房间里。张大爷，您抱着书做什么？您不贩草药，改卖书了吗？"小神农好奇地问。

"等会你就知道了，快叫你师傅出来。"张大爷自顾自地坐了下来。

朱有德从睡梦中醒来，看到张大爷来了，抱怨道："我这好不容易睡一会儿，又把我叫起来做什么？"

“我前段时间去浙江了，看草药时发现了这个东西。我想着小神农又要因为没见识过花叶着急了，这不，特意做了标本拿过来给你们看看。”张大爷说着，将那本厚书打开，里面居然夹着一支草。

小神农立刻扑上去：“这是什么草？你看它的花是蓝色的呢。”他觉得非常稀奇，爱不释手。

“小神农，张大爷大老远给你带回标本来，是为了让你好好学习，可不能辜负了张大爷的心意啊。”朱有德笑着从小神农手里拿过那半棵草细看。

“师傅，我先看，我会认真看的。”小神农小心地从师傅手中接过草，只见根已经被割掉了，叶子如同披

针形，还有大一些的似卵状，长3～9厘米，宽2厘米左右。

不过，最漂亮的是那朵花，它与叶对生，总苞片如佛焰状，展开就像一颗心脏。花梗很短，萼片膜质，深蓝色的花瓣中有2枚爪。

“师傅，这草可真有意思，它叫什么名字？”小神农看得眼睛都直了。

“它叫鸭跖草，是南方特有的植物，喜欢温热，我们这边很难见。你看这花，谢了之后会长一颗椭圆形的蒴果，果实分成两室，成熟后裂2瓣，一边会有2颗棕黄色的种子。”朱有德虽然不常见这种植物，但年轻时扎实的基本功让他对各类药草如数家珍。

“它长得这么小，张大爷，如果您将它种在花盆里，就可以带新鲜的回来了呢。”小神农想，如果现在能看到一盆开花的新鲜鸭跖草，那得多神奇呀。

“小？它可不小，高1米左右，而且还有很多分枝，茎是匍匐生长的，想要挖起来可不容易啊。”张大爷说。

“哦，原来是这样。师傅，它入药后有什么功效呢？”小神农说了半天，还不知道它的作用呢。

“鸭跖草味甘、微苦，性寒，清热解毒作用强，只不过我们这边少有，所以用得还不多。”朱有德说着，将那株草小心地收起来，“小神农，你张大爷出远门还想着你，还不快给张大爷沏杯好茶去。”

“哎，我知道了，师傅，您们去后面下棋吧，我给您们沏茶去。”小神农小跑着去烧开水了。

西瓜皮——食肉解馋皮清热

北方的秋末冬初，天气异常干燥，小神农的嘴唇都起皮了，朱有德说：“平时多喝点水，不然又要上火了。”

“师傅，我真想吃个大西瓜呀，可惜这个季节没有。”小神农坐在那里，双手托腮，神情里都是渴望。

“你问问师娘，说不定会有惊喜呢。”朱有德笑了。

“师娘，现在街上还有卖西瓜的吗？”小神农对正在捡豆子的师娘问。

“街上肯定没有了，不过咱家里倒有。”师娘得意地说。

“什么？怎么可能呢？”小神农差点跳起来，入秋以来，师父总说西瓜凉，不让多吃，家里怎么会有西瓜呀。

师娘放下豆子，一个人去了后院，很快便抱着一个大西瓜

回来了。青绿色的瓜皮，又新鲜又饱满。

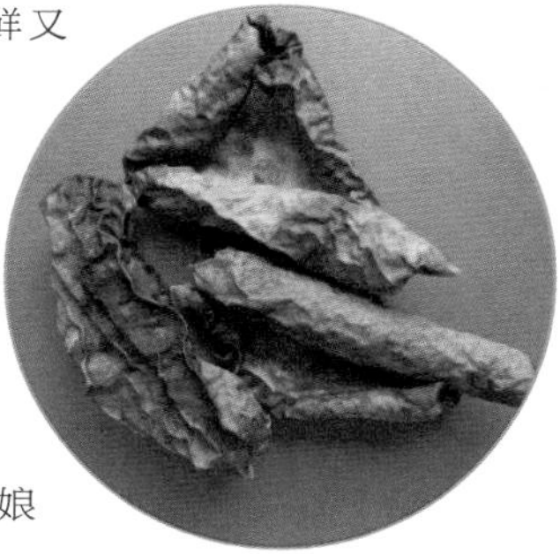

“真的有西瓜呀！”小神农完全惊呆了，这怎么就像变戏法呢？

“你要感谢后院的地窖，西瓜放在里面，不但不会坏，还不会失水，所以才保存得这么好呢。”师娘笑着告诉小神农。

“原来是这样啊。”小神农立刻跳起来，抱了西瓜去洗干净，切了三块出来，三个人津津有味地吃起来。

吃完西瓜，小神农心满意足，打扫了西瓜皮要去倒掉。朱有德却说：“小神农，你把西瓜外皮的青绿皮去掉，里面的红瓤也削净，中间的部分留下来，晒干之后可以入药呢。”

“这有什么用呀，师傅？”小神农还是第一次听说，西瓜皮也可以入药。

“西瓜为葫芦科植物，不仅果肉厚而多汁，其皮味甘，性凉，归心、胃、膀胱经，可清热解毒，利尿除烦，很有用处呢。”朱有德解释道。

“那怎么我们药店里没有这味药呢？”小神农不解地问。

“谁说没有？西瓜翠就是西瓜皮呀。它炮制成药之后，呈不规则的卷曲状，外表黄绿色，内表面有网状维管束线纹，很脆，易折断，气味微淡。”朱有德笑着说。

“我都不知道那就是西瓜皮做的，还以为是什么植物的根茎呢。”小神农吃了一惊，心想：药物真是变化多端，看来我要学的实在太多了。

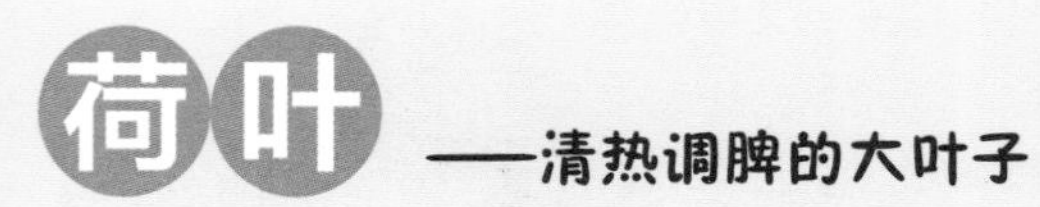

荷叶
——清热调脾的大叶子

小神农住的地方多山少水，所以，他虽然听说过荷花的名字，可还从没有见过真正的荷花长什么样。

这天，师娘做了粉蒸肉，外面由一张大大的荷叶包着，直接切成小块。朱有德连叶子一起吃进嘴里去，小神农笑着说："师傅，您真馋呀，连草叶子也吃下去了。"

"小神农，这就是你不懂了吧？这可不是普通的草叶，它是荷花的叶子。其状圆形，直径20～50厘米，有波状边缘，表面深绿，背面灰绿，有粗脉多条，从中间向四周扩散，中心突起，托于密生倒刺的茎上，因为质地薄，所以很易碎。它的作用就在于清热解毒、升发清阳。我们吃了肉，难免火气上升，这时吃点荷叶，不是可以清减火气吗？"朱有德说。

“师傅，荷花到底长什么样啊？它的叶子可真神奇，还有药用价值呢。”小神农不禁又感觉自己见识少了。

“荷花生在水中，根茎横生，肥厚，节间膨大，内中带有多孔，也就是我们吃的莲藕。莲藕节间长出细根，并生长圆柱形绿色茎梗，上面都是刺，于顶端长出叶子。到了夏天时，莲藕会从节上长出花梗，于顶端生出椭圆形的花苞，花瓣为倒卵形，多层生长，颜色多粉、白等色。花谢之后，则长成一个莲蓬，是倒锥形，有20～30个小孔，小孔中含有一颗椭圆形坚果，颜色发白，成熟后就是莲子了。”

“哦，荷花原来是这样子呀。”小神农张大嘴巴，“不过，师傅，荷花是好东西，不但根可以吃，叶子也可以吃，连莲子也能吃，多好啊，我们如果能种一些就好了。”

“哈哈，这可不容易，荷花从生到落，都要在水里生长，我们这里可没有足够的水源养活它。”朱有德摸摸小神农的头，笑着说。

“师傅，我们店里有荷叶吗？我怎么没见过？”小神农又问。

“你呀，上次张大爷带来的一包一包的大叶子你都忘了？它颜色是青黄色，打开之后粗糙易碎，但带有多角形细胞孔，可见连珠状增厚波状，那就是炮制好的荷叶了。《医林纂要》中说荷叶味苦，性平，无毒，归心、肝、脾经，凉血、止血、脾虚泄泻都离不开它呢。”朱有德说得仔细，吃得也认真，忍不住赞美：“你师娘的手艺又进步了，这粉蒸肉真不错。”

小神农这才发现，师傅已经吃了好几块肉，连忙说：“师傅，您也给我留几块呀。”说着，他马上拿起筷子，津津有味地吃起粉蒸肉来。

莲子心——治热病的专家

就在小神农心心念念想要看一眼荷花的时候，突然听到街上传来叫卖的声音。他站在药堂门口望出去，就看到很多人围着一个小贩，还有人问："这莲子很新鲜，多少钱一斤？"

小神农听到"莲子"两个字，连忙跑过去，还大叫着："我看看，我看看!"边说边往里挤，只见小贩跟前放着一个大大的匾，匾内堆了一堆白色的球形果实。

"这就是莲子呀？"小神农问。

"对，这就是莲子。今年新产的，才晒干就拿来了，买一包吧。"小贩热情地说。

小神农也来不及想什么，便买了一包跑回店里。朱有德刚刚送走患者，看他急匆匆地跑进来，就问："小神农，你又做什么去了？"

“师傅，我买到了莲子，您看是不是荷花的果实？”说着，小神农把那包莲子递给师傅。

朱有德打开来看一看，说：“对，这就是莲子，用它可以煮粥，很是清热。不过，就是这莲子没去心，寒气太重，不能多食。”

“莲子还有心啊？”小神农这才注意到，在圆球形的莲子中间有一个小眼，里面露出一个绿色的小芽来。

朱有德取来一根牙签，将那小芽从后面轻轻一捅，它便完整地掉出来。竟然是基部黄绿色，呈圆柱形的小胚芽，也就长0.2～0.4厘米的样子，顶端绿色。

小神农将那个芽放在嘴里嚼了一下，立刻吐了出来：“苦死了，师傅，快给我杯水。”

朱有德笑起来，说：“这就是莲子心。它味苦，性寒，是清心去涩、平火排毒的中药材，可治心烦、目赤、肿痛、休克等多种热病，可谓治热病的专家呢。”

“可是也太苦了，这让人怎么吃得下去呀。”小神农喝了一大杯水，还感觉嘴里苦苦的。

“当然不能直接吃啊，要进行熬煮的。平时如果心热多烦，也可以用来泡茶喝，泡开的莲子心在顶端会分成两个歧，一长一短，前端反折，可见卷曲的幼叶，就是它能长出大荷花来。”朱有德笑起来。

“哎呀，我这次总算明白了，荷花真正是好东西，哪怕长个果实，也是多用途，一果两用。”小神农啧啧称赞着荷花。

“别想太多了。把这些莲子拿去后面，让你师娘去掉莲子心，晚上我们就可以吃莲子粥啦。”朱有德打发走小神农，又整理起那些药材来。

西河柳
——清热疏风的柳树叶

自从跟着朱有德出诊之后，小神农又有了更多学习的机会，经常说：“师傅，我感觉越学习，要学的地方就越多，这是怎么回事呢？”

每当此时，朱有德总是笑而不语。他很欣喜徒弟的变化，但却不想总是说教，他认为，最好的学习莫过于让他自己去发现，去探索。这不，从王村回家的路上，小神农又发现了“宝贝”。

原来，王村的乡间小路边有很多柽柳。虽然现在已经没了叶子，只剩下光溜溜的枝条，小神农却很会利用：“师傅，我们下次出门带把镰刀，这么好的柳条砍一些回去，就不用愁没有柴烧了。”

“你这是大材小用啊。柽柳又名西河柳，为落叶小乔木，来年长出的嫩枝叶可是药材呢。”朱有德笑了。

“什么？它也是药材？它的叶子又不大，而且遍地都是，怎么会

是药材呢。”小神农可不相信这是真的。

“师傅不骗你。西河柳可高2～4米，茎多分枝，但枝条细弱，向外扩张下垂。你看，它的皮为红褐色，叶子虽小，却互生，并无叶柄，如同卵状长圆形。你仔细观察过西河柳的叶子吗？”朱有德突然问小神农。

“这个……好像没有……”小神农一下说不出话来，在他眼里，西河柳就如同野草，没有观察的必要。

“我就知道是这样，你明年可要仔细看。西河柳的叶子前面尖，后部鞘状，为蓝绿色，很好看呢。”朱有德当然知道，太普通的东西，小神农是注意不到细节的，“而且，它的花很多，每年6～7月就一串串生长，花序顶生，为粉红色，苞片呈锥形，前端尖，后端大，萼片和花瓣各5枚。”

“这个我知道，它的花头还有很多紫红色的细丝呢。”小神农抢着说。

“那不是细丝，是花药和花丝以及花蕊。等到8～9月，这些花谢了，就会长出狭小的蒴果来了。”朱有德边说边走，小神农被落在了后面。

“可是，师傅，为什么它的种子不入药，却用嫩枝叶呢？”小神农想了半天，才追着朱有德问。

“因为它的叶子味甘、辛，性平，归肺、胃、心经，具有疏风清热、解毒透疹的功效呀。”

“我明白了，明年春天我就来采西河柳的嫩枝叶。”小神农背着师傅的药箱，加快了脚步。春天对于小神农来说，不只是上山、下田的学习，更是成长，这对他有着很大的诱惑。所以，每每说到春天，就会让他产生无限活力。

水蜈蚣

——风寒感冒就用三荚草

这天，朱有德清理药库中的剩药，忽然发现了一包颜色暗褐的草。他拿起来看了看，又闻闻味道，摇着头说：“还好没有发霉，不然就可惜了。”

“师傅，这是什么药呀？都用不到它，还可惜！？”小神农一脸不屑地说。

“如果所有的药都用不到，只说明人们是健康的。可我们不能因此就浪费了药材呀。”朱有德可不能纵容小神农这种有用靠前，无用弃之的坏习惯，“它是水蜈蚣，其味辛，性平，可解热、利尿、杀虫、败毒，风寒感冒、头痛、筋骨疼痛，都可以用它呢。”

“水蜈蚣？这明明是草啊。”小神农这下不明白了，明明是草，师傅居然说是虫子。

“你呀，总不肯细读医书，我要给你讲解到什么时候去？”朱有德点着小神农的额头，又爱又恨，“它是一种多年生的草本植物，丛生，全株光滑，气味香浓，有如菖蒲。因为它的根茎弱，匍匐于地下，节多数，节下生细根，其形似蜈蚣，所以才得了这个名字。”

“原来是这样呀。”小神农不好意思地笑了。

“它还有个名字叫三荚草。因为它的秆茎散生，高7～20厘米，平滑，但呈扁三棱形；夏天时，茎顶会生出一个黄绿色的球形，就是它的头状花序，花序中具多个密生的小穗，下面有反折的叶状苞片，共3枚，鳞片膜质，所以得名三荚草。”

“那它的叶子什么样？会结果吗？”小神农好奇地问。

“它的叶子很窄，为线形，基部有鞘状，抱茎生长，相对韧性。

花谢之后，就会长出细小的圆形坚果来。”朱有德说着，将那包药材拿出来，放在明显的地方。

“师傅，您拿出它来，是准备要用吗？”小神农机灵着呢，一看朱有德将它取出来，就知道用意了。

“对啊，冬天到了，风寒感冒多见，用它就很合适了。学习药材，不但要知道药性，还必须知道什么时候、用什么样的药最合适才行。”朱有德又开始点化小神农了。

“师傅，医学的知识可真深奥，我都感觉快学不过来了。”小神农说着，嘿嘿笑起来。

天胡荽——四季长生的解毒清热药

这几天，小神农发现了一件有趣的事：在院子的墙角下，居然有一丛绿色的草，茎很细弱，匍匐在地面上，叶片圆形，皱皱的，还不规则，带有5～7个浅裂，叶基部呈心形。而且，叶子上面为深绿色，下面有些浅绿，很光滑。叶柄非常小，有细微的柔毛。

马上就要入冬了，这株植物却显得生机盎然，小神农每天都要蹲在那里看很久。朱有德注意到了，就打趣地问："小神农，你是不是发现了宝贝？每天看个没完。"

"师傅，墙边长了一丛草。真是奇怪呀，天都冷了，它还能长出来。"小神农说。

朱有德走过去看了看，不以为然地说："原来是天胡荽啊，这个时候它在南方正长得旺盛呢。"

"师傅，什么叫天胡荽？"小神农扭过头看向师傅，不解地问道。

"你看的这种植物就叫天胡荽。它是多年生的草本植物，每年3月份萌芽，4～5月为旺盛期。它会开绿白色的小花，花朵为腋生，每叶有一花序梗，每个花序可开10～15朵花。总苞片4～10枚，花萼无齿，花瓣卵形。花谢之后就会长出心形的双悬果，果实扁平，光滑，略有棱角。"朱有德说。

"可它为什么现在又长出来了呢？是不是它不怕冷？"小神农问道。

"虽然春天是这种植物的高峰出苗期，但到了深秋，还会有一次出苗的机会。南方的冬天不冷，它一样可以生长。大概是我们的墙边暖和、潮湿，所以它又生长出来了。"朱有德也不能解释这是为什么，但往年也会偶有天胡荽在院子长出来的情况，所以他并不感觉奇怪。

"师傅，如果天胡荽可以入药就好了，这样一年可以采两次，对不对？"小神农笑起来。他想，如果药材一年都能长两茬多好，这样自己在冬天也能采摘药材了。

"它当然是药呀。天胡荽味辛，性寒，可清热、利尿、解毒、消肿。一般夏天、秋天采集，全草晒干，就可以入药了。"朱有德说，"你可以将它移到盆里，搬进屋，这样冬天你就有解闷的了。"

"对呀，我怎么没想到呢？我现在就给它搬'家'！"小神农一下被提醒，立刻就搬了花盆去挖土了。

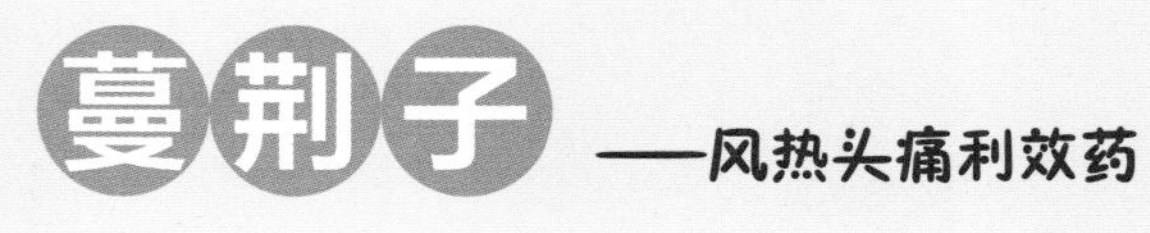

蔓荆子——风热头痛利效药

一晃又有很长时间没见到张大爷了，小神农这几天一直在等他，因为只要张大爷一来，自己肯定会见识到新的药材。今天不出诊，他便又坐在药堂的门槛上，畅想着张大爷去过的地方。

“小神农，想什么呢？我来了也不打招呼。”一个熟悉的声音响起来。

“张大爷？您什么时候来的？我正在想您现在去哪里了呢。”小神农吓了一跳，还以为自己是做梦呢。

“哈哈，这次张大爷去了趟山东，所以很快就回来了。”张大爷说着便进了药堂，与朱有德打招呼。

“张大爷，我猜您这次肯定又带了新的药材来。”小神农看到张大爷背了个小布袋，似乎沉甸甸的。

“你这小子，真是水晶心肝。我一进门就知道又给你家带药来了？”张大爷笑得眼睛眯成了一条缝。说着，他便将自己背的小布袋打开：“看看吧，就是不知道你认不认识呀。”

小神农看到袋子里都是灰黑色的小球，直径4～6毫米，闻起来有辛香味。可说它是花椒吧，又不像。因为小球上有白色的粉霜状茸毛，而且每个小球上都有4条纵沟，顶端稍稍下陷，基部有一个灰白色的宿萼，还可看到短果梗。

“这不是花椒呀。它怎么也有辛香味呢？”小神农自言自语着，将一颗小球捻开，感觉挺坚韧的，但里面可见4室，每室都有一颗种子。

“师傅，这不是花椒，可它是什么呀？”小神农忍不住向朱有德求救了。

“它叫蔓荆子，是一种落叶灌木，可以长3米高，小枝是四方形的，上面带着茸毛。等到枝老之后，就成了圆形。叶子则是对生的，倒卵形，叶面背下有灰白色茸毛。”朱有德抓了几粒蔓荆子，放在鼻下闻了闻，满意地点头，“不错，品质非常好。”

“那这小球状的种子结在哪里呀？包在荚里吗？”小神农很好奇地问。

“不会，蔓荆子在7月开花，花序顶生，为圆锥形，其萼片带5齿裂片，外着柔毛，从萼片中生出淡紫色的5裂小花，为二唇形，它的子房可见密生腺点。到了9月就会结出核果来，黑色，就是你现在看到的小球球了。也就是说，它们是单颗生于花序上的。”朱有德笑着说。

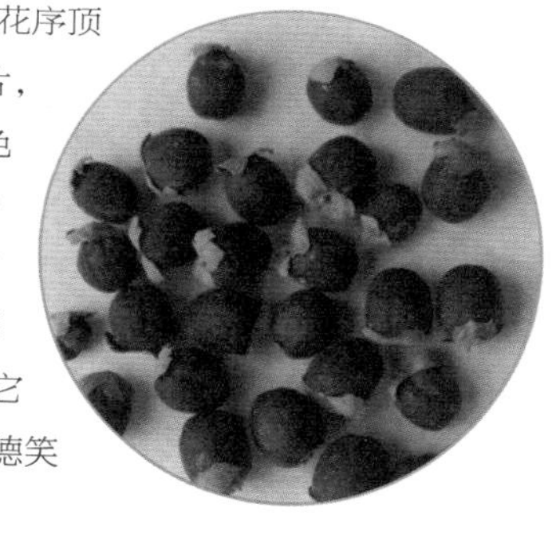

“师傅，这药有什么功效？治什么病？”小神农打破沙锅问到底。

“《药品化义》中说‘蔓荆子，能疏风、凉血、利窍，凡太阳头痛，及偏头风、脑鸣、目泪、目昏，皆血热风淫所致，以此凉之，取其气薄主升……为肝经胜药’。所以，它味辛、苦，性微寒，归膀胱、肝、胃经，可疏散风热，清头目，解肿毒。”

“真不公平，这么好的药，为什么我们这里就没有呢？”小神农突然生起气来，觉得附近山上的药材品种实在太少了。

“小神农，快别生气了。赶紧离开你师傅，跟我到处去采购药材吧。”张大爷打趣地说。

“我才不要，您又不会用药，什么时候才能教我学会这些知识呀。”小神农知道张大爷在逗自己，噘着嘴一扭头走掉了，惹得朱有德与张大爷相视大笑。

木贼草——对付风热的木之贼

冬至的时候，小神农回了趟家，回来之后就一直闷闷不乐的。朱有德关切地问他："小神农，你为什么不高兴呢？是不是家里有什么事？"

"师傅，我什么时候可以给人看病呀？"小神农满脸委屈。

"为什么要这样问啊？难道有人笑话你了？"朱有德被这孩子搞糊涂了。

"没有，我这次回家，奶奶不舒服，眼睛疼，还咳嗽，说小便也是红色的。可奶奶舍不得请大夫，说这都是小病，熬一熬就过去了。可是，她每天咳得多难受啊。"小神农说着，眼泪都要流出来了。

“小神农，别伤心，你和我细说说你奶奶的情况，我来为她诊治。”朱有德感动地说，这孩子真有孝心。

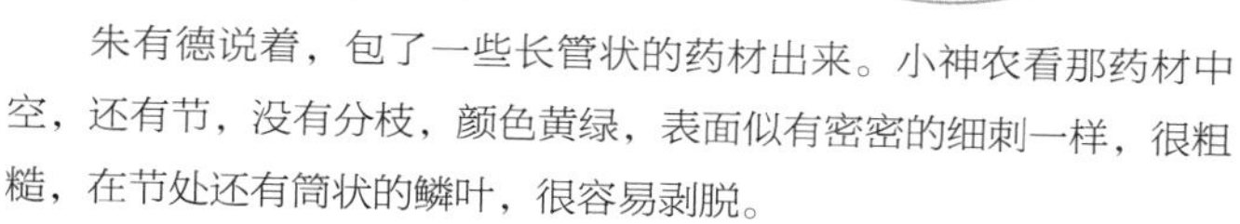

于是，小神农仔细地给师傅描述了奶奶的症状以及家里的环境。朱有德说：“这就是风热感冒，不用担心，我给你开点药，你马上给奶奶送回去，吃两剂就好了。”

朱有德说着，包了一些长管状的药材出来。小神农看那药材中空，还有节，没有分枝，颜色黄绿，表面似有密密的细刺一样，很粗糙，在节处还有筒状的鳞叶，很容易剥脱。

“师傅，这是什么药？”小神农不解。

“它叫木贼草，管状生长，不分枝，长40~60厘米，表面带有纵棱，棱上还会有多个疣状凸起，分节明显，中空。其气味甘淡，微涩，可清热祛风，利尿排毒，是治疗风热感冒、咳嗽、目赤、小便不利等症的良药。”朱有德仔细地将药分成份，打好了药包。

“这个名字真奇怪，怎么还叫木贼草呢？”小神农被这个名字给吸引了。

“你忘了吧？《本草纲目》中不是记载过吗？‘此草有节，而糙涩，治木骨者，用之磋擦则光净，犹云木之贼也’，这说的就是木贼草呀。”朱有德点着小神农的头，“这么爱忘事，以后怎么给人家看病呀？”

“哦，我现在知道了。木贼草又名擦草，味甘、苦，性微寒，归心、肝、胃、膀胱经。”小神农不好意思地说完，拿走药包就往家跑。

朱有德在后面嘱咐着：“路上慢点，记得买点东西吃。”

“放心吧，师傅。”小神农说着，早没人影了。又过了两天他才回来，告诉师傅，奶奶的病已经全好了。

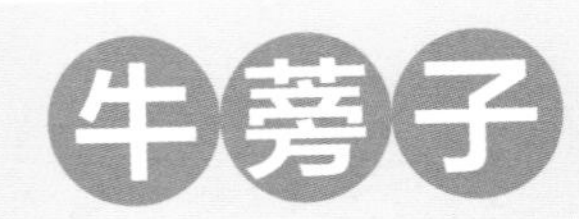

牛蒡子——宣肺利咽的牛菜

今年的冬天似乎来得有些晚，11月了天气还是暖融融的。朱有德闲来无事，便对小神农说：“我们去山上走走？”

“真的？太好啦！”小神农高兴得差点跳起来，马上取出多日不用的药铲、药筐，与师傅朝着山坡走去。

“小神农，我们不要到山上去，围着山坡转转就好。”朱有德对跑在前面的小神农说。

“我知道了，师傅。”小神农边走边寻找那些熟悉的植物，昔日翠绿茂盛的山坡如今光秃秃一片，已经很少看到带绿叶的植物了。

“师傅，前面那些人在干吗？”小神农突然发现前面有几个农民

正在拼命挖土。

师徒俩走过去，小神农好奇地问："伯伯，你们在挖什么呀？"

"我们在挖牛菜呢。"一位上年纪的老大爷说。

"牛菜？什么是牛菜呀？"小神农第一次听说这个名字，好奇地追问。

"喏，那边就是我们挖出来的牛菜，你自己看吧。"老大爷说着，又用力地挖起来。

小神农看到旁边放着几根粗壮的根茎，表面黄褐色，还带有小黑斑，并长着明显的细根，肉质。

"师傅，什么是牛菜？我怎么没听说过呢？"小神农拿着一根牛菜仔细研究着。

朱有德走上前，一边观察一边说："牛菜又叫牛蒡，是二年生草本植物。《本草纲目》中说'牛蒡，古人种子，以肥壤栽之，翦苗汋淘为蔬，取根煮曝为脯，云甚益人……其根大者如臂，长者近迟，其色灰黪，七月采子，十月采根……’”

“还是这位师傅有见识。现在虽然过了挖牛菜的时间，但像这样天气好的时候也可以出来碰碰运气。这不，挖几根就够炒一顿吃的了。”那位老大爷没等朱有德说完就接过了话头。

“它的叶子长什么样呀？我们夏天的时候好像没看到过。”小神农这下好奇了，追问起来。

“牛蒡的茎直立，多分枝，带紫褐色，上有纵条棱，叶子基生，有长柄，茎叶互生，叶片如广卵形，长20～50厘米，前端有刺尖，基部为心形，全缘，上面绿色，带疏毛，下面则有灰白色的短茸毛。”朱有德讲解道。

“不是说七月采子吗？那它是不是也会开花？”

“对，花期为6～8月，花序簇状生于茎顶，花序梗长3～7厘米，上有浅沟，带细毛，总苞为球形，多数。开红紫色的小花，花冠前端开5裂，雌雄同株。到8～10月，就会长出长圆形的瘦果来，颜色

灰褐色，带纵棱，上面有短刺，是黄棕色的。”朱有德仔细给小神农解释。

“这位师傅竟比我们还了解牛菜呢，真是学问人。”老大爷笑着说道。

“师傅，牛蒡根炒来吃，那牛蒡子怎么吃呀？”小神农的问题真是古怪，把那些农民也逗笑了，都说：“没听说过吃牛蒡子的。”

朱有德却说：“牛蒡子是药，它长成长扁圆形，一端钝圆，一端略窄，外皮坚硬，打开后，可见两瓣种仁，灰白色，有油性，其味苦、微辛，性微寒，可清热解毒，宣肺利咽。”

小神农听完，还感觉余味未尽，说：“师傅，我们不如也挖一点吧，回家让师娘给我们炒来吃。”说着，便也跟着大家一起挖起牛蒡来。

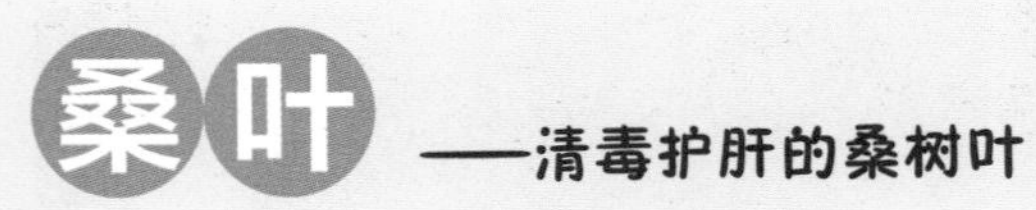

桑叶——清毒护肝的桑树叶

早上下了很厚的霜，中午时，阳光却变得好起来。小神农坐到院子里看书，朱有德则在翻找布袋。

“师傅，现在又不采药，您找布袋做什么？”小神农问。

“一会儿就去采药呀。”朱有德说。

“是真的吗？可是山上已经没有什么叶子了呀。”小神农奇怪起来。

“我们不用去山上，就到镇口采就行，你还记得那几棵大桑树吧？我们就是采那些叶子。”

“啊？我们是要养蚕吗？”小神农可真迷糊了，师傅在搞什么名

堂呀。

“先不管采叶子做什么，你给我说说桑树长什么样吧。”朱有德翻了半天，找了两只大布袋，坐下来休息。

“这还不简单，我在家经常上树采桑椹吃呢。它的树皮是黄褐色的，多开裂纹，小枝生出来会带一层柔毛，叶子互生，如同阔卵形，前端尖，后端圆，边缘还有锯齿，叶片无毛，光滑。叶脉明显，带长柄，对不对？”小神农流利地介绍着桑叶。

“那开的花什么样？结的果又怎么样？”朱有德继续问。

“每年4～5月开花，花序腋生，而且雌雄异株。一般雄花序落得早，雌花序的花柱并不明显，有2个柱头。花落后就会长出带有小疣状的桑椹来，但要到6～7月才成熟。它会从绿色变成红色再变成紫黑色，也有白色的，多汁，味道可甜了。”小神农说得自己都要流口水了，“现在要是能吃几颗，得多美呀。”

“你呀，可真是小馋猫，快拿着袋子，我们采桑叶去了。”朱有德笑了。

“可是您还没告诉我采桑叶做什么呢？”小神农严肃地问。

“这都不知道，桑叶是入药的呀。它味苦、甘，性微寒，归肺、肝经，可清肝散热，明目排毒，治疗各种发热、头痛、怕风、咳嗽等症都管用。”朱有德说着早站起身来往外走了。

“原来这样呀，师傅，您等等我。”小神农连忙跳起来，追着朱有德跑了出去。

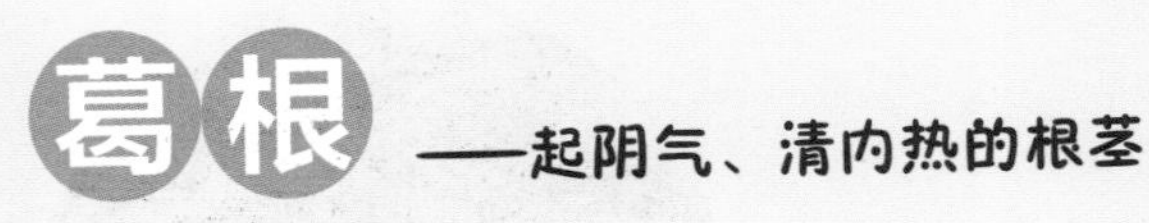

葛根——起阴气、清内热的根茎

这天一大早，朱有德就在院子里搭起了晒药架，还叮嘱小神农：“都擦得干净一些。”

“师傅，现在又没有药采，把它架起来做什么呢？”这可是夏天才搭的药架，小神农不知道师傅为什么突然在冬天搭了起来。

“一会儿你就知道了。”朱有德故作神秘。

果然，快要中午时，外面来了两个送货的人，一人推了一辆小推车。小神农一看，车上的大筐里都是圆柱形的粗根茎，全株有黄褐色的粗毛，而且带有纵皱纹。

“师傅，这是什么？怎么像红薯一样？”小神农看着那些根茎块，满头雾水。

朱有德送走了送货的人，才对小神农说：“这是葛根，每年这个时候，乡下的李家都会送过来，以后你就知道了。”乡下李家是朱有德的表亲。

“这些东西有什么用？煮粥吃吗？”小神农拿起一块根茎，闻了闻，也没什么味道。

“这些要切成片，晒干，都是入药的，你怎么总想着吃啊？”朱有德已经开始拿刀来切片了。

“这也是药啊？师傅，您快给我说说葛根长成什么样？是像红薯一样长在地下吗？”小神农不问清楚可不肯罢休。

“对，葛根就长在地下，不过比红薯藤可大多了。它是多年生的藤本植物，可以长达10米，叶子为3出复叶，叶片为圆形，带3波状浅裂，前端尖，基部圆形，两面都有柔毛，一般叶背更密一些。”朱

有德边切药边为小徒弟解惑。

“它会开花吗？会不会结果实？”小神农又问。

“当然会呀。它每年4～8月开花，花序腋生，总花梗带有黄白色茸毛，花朵苞片线形，早落，花萼带5个裂齿，披针形，会开蝶形蓝紫色小花，其子房线形，花柱弯曲，至8～10月，才会长出线形的荚果，扁平状，带有黄褐色硬毛，里面有赤褐色的种子，为卵形。”朱有德说。

“那它有什么功效呢？我记得《本草纲目》中有说‘葛，性甘、辛、平，无毒，主治消渴、身大热、呕吐、诸弊、起阴气、解诸毒’，这是不是就是指葛根呀？”小神农虽然读了很多医书，但理解

得总不太全面。

“对，这就是说的葛根了。一般发热、口渴、热泻、麻疹等症都会用到它。”朱有德下刀很快，已经切了很大一堆，“快，把这些片都摆到药架上去，趁着太阳好，多晒晒。”

“我知道了，师傅。”小神农了解了葛根，心满意足，马上利落地晒起葛根片来。

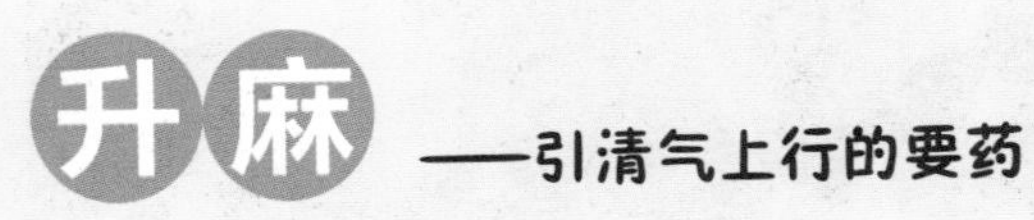

升麻——引清气上行的要药

这几天，小神农在纸上整理那些属于地下根茎类的药材，师傅说只有分门别类来看待药材，才能记得更清楚。

不过，小神农很快就被难住了，根茎类的药实在太多了，很多都是自己没看到过的。比如这升麻，它到底是什么东西呀？医书中说以根茎入药，但根茎长什么样呢？

小神农实在想不通，就拿着书来找朱有德了：“师傅，您给我讲讲升麻吧，它到底是什么样子呀？”

朱有德看看小神农手里的书，笑了：“真是难为你了，不知道长什么样子，觉得不好记对不对？”

说着，朱有德从抽屉里拿出几片黑褐色的药材："你看，这就是升麻，根茎粗糙，有细须根残留，上面还有圆形的茎基痕，体轻、质硬，不易折，断面不平坦，带有裂隙及纤维性，里面淡黄色或者黄绿色。"

"那它新鲜的时候什么样子呀？长什么样的叶子，开什么样的花？"小神农可不满足只知道简单的成药。

"升麻是一种多年生草本植物，可高1~2米，鲜根茎不规则，多分枝，呈结节状，多细须根。茎直立生长，有疏毛，叶子互生，基生叶是2~3回羽状复叶，小叶片为披针形，边缘有齿，叶面绿色，叶背灰绿色，两面都有小毛。"朱有德怕小神农记不清，特意放慢速度讲解，"它的花很小，是黄白色的，在花序上排成圆锥状，萼片5个，边缘有毛，花朵带2个退化雄蕊，发育雄蕊数枚。花谢之后会长出带短柔毛的果实，长圆形略扁。这些都不重要，重要的是秋冬时节必须挖根，去须，切片，晒干，才能最终入药。"

"哦，现在我就清楚多了。师傅，您再给我讲讲它的功效。"小神农笑着说。

"升麻味辛、微甘，性微寒，归肺、脾、胃、大肠经，可清热解毒，升举阳气。《本草纲目》中说'升麻引阳明清气上行，柴胡引少阳清气上行，此乃禀赋素弱、元气虚馁及劳役饥饱、生冷内伤，脾胃引经最要药也'。"朱有德将书中的一段文字指给小神农看。

"谢谢师傅，我得赶紧去记下来，不然一会儿又记乱了。"小神农马上站起身，回自己房间去了。

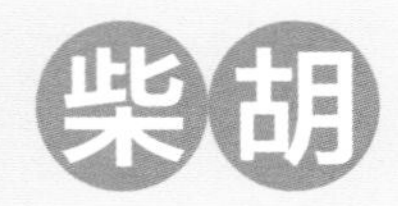

柴胡——疏气透表的柴草

一天中午，有位大娘来到药堂，说是要买山菜。当时朱有德在后面给人看病，小神农听得满头雾水，说："大娘，我们是药店，不卖山菜。"

"药店不卖哪里卖呀？你这小孩儿可真淘气。"大娘满脸不高兴地说。

"可是我们真的只卖药，不卖山菜的呀。"小神农被固执的大娘惹急了，"您到别处去看看吧。"

"你这是什么药店，连山菜都没有。"大娘生起气来，对其他来买药的人抱怨。朱有德听到外面吵得厉害，便出来问了一下情况，然

后径直给那位大娘包了一些圆柱形根茎。小神农看得清楚，那些根茎挺硬的，皮部浅棕色，内里黄白色，断面还有纤维性。

“师傅，大娘要山菜，您为什么给了她柴胡呢？”当患者都走了之后，小神农才问师傅。

“小神农，你知道我拿的是柴胡，可为什么不知道《吴普本草》中讲山菜味苦、辛，性微寒呢？它说的就是柴胡呀，不仅如此，柴胡还有茈胡、地薰、柴草等不同的名字。你不能因为名字改变，就不知道它是什么了，对吧？”朱有德严肃地说。

“师傅，我错了，我虽然知道柴胡归肝、胆经，能清热疏气，透表利肝，但真没有仔细读过柴胡的药源。”小神农羞愧地低下头去。

“这也怪为师，因为柴胡供应量大，所以一直没带你去采过。柴胡本是多年草本植物，主根粗大，茎单生，偶有丛生，上部多分枝，呈‘之’字形生长。叶子是互生的，基生叶倒披针形，茎生叶是圆披针形，叶基有鞘，抱茎生长。一般叶面上方鲜绿色，下面则淡绿色。”朱有德看到小神农羞愧的样子，又心疼起来，毕竟他还是个孩子，哪能什么都记那么全呢？

“师傅，它什么时候采摘呀？明年你带我去采一点吧。”小神农小心地说。

“嗯，柴胡春季始发，7～9月开花，花序顶生，花梗细，花苞为狭披针形，花朵黄色，上部内折，中间隆起，花瓣有2个浅裂，花柱深黄色。9～11月是果期，会结椭圆形的双悬果，淡棕色，有棱，棱中可见油管。不过，叶茎都不是药，唯有根可采，一般春天或者秋天都可以采挖的。”朱有德喝口茶润润嗓子，他要趁机给小神农好好解

说一下柴胡。

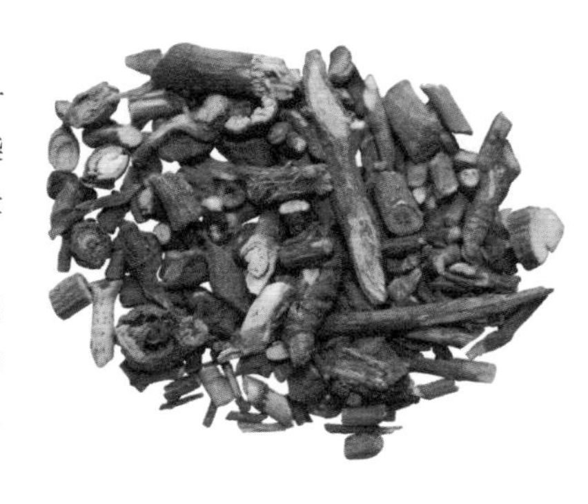

“也就是说，明年一开春，我们就可以去采柴胡了，是吗？”小神农脸上又挂上了笑容。

“可是，你还要记住，柴胡有北柴胡、南柴胡之分，如果不弄清楚这些，没准你还会闹出笑话来的。”朱有德笑着说。

“师傅，您快给我说说它们的区别，就别让人笑话我了。”小神农摇着朱有德的胳膊，着急地说。

“刚才我给客人拿的就是北柴胡，它颜色浅棕。而南柴胡则不同，它外表黑棕色，或者红棕色，而且根比较细，质地偏软，易折，但它没有纤维性。只要仔细观察，还是很容易分辨的。”朱有德说完，想了想，又告诉小神农：“你应该把柴胡的特征、品种以及药性都总结一下，这样记起来就清晰了。”

“嗯，师傅，我一定认真总结。”小神农正说着，药堂有人走了进来，他立刻帮人抓药去了。

淡豆豉——宣郁解毒的发散药

中午吃饭时，朱有德的妻子特别做了小神农爱吃的豆豉炒豆腐。小神农吃一口在嘴里，咂摸了一会味道，然后才说："师娘，您做的豆豉炒豆腐可真好吃，咸香鲜郁，比大厨做得都毫不逊色呢。"

朱有德的妻子被小神农的话逗笑了，说："好吃就多吃些，以后师娘经常给你做。"

朱有德却说："小神农，你只知道豆豉鲜香，可你知道它也是一味药吗？"

"什么？还有这种药？师傅净骗人，如果它是药，不是要比苦苦的药汁好喝多了。"小神农噘着嘴，觉得师傅可真能信口开河。

"这可是真的。《本经逢原》中说'淡豆豉，入发散药，陈者为胜，入涌吐药，新者为良'；而《本草纲目》中又说'豉，诸大豆皆可为之，以黑豆者入药，有淡豉、咸豉，治病多用淡豉汁及咸者，当

随方法’。这些难道你都没读到？”朱有德故意不看小神农，只专心地边说边吃饭。

小神农这时早睁大了眼睛，忘记吃饭了，他夹着一颗豆豉，看了好半天才说：“师傅，您说是豆豉就是这个炒菜的吗？”

“是呀，豆豉，为豆类发酵品，将豆煮熟，加盐、酒等物进行发酵制作而成。颜色黑棕，可根据口味制成淡或者咸两种口味。早在《齐民要术》中就已经有豆豉的制作方法了。”朱有德说得头头是道。

“那豆豉可以治什么病呢？”小神农心想，如果真可以治病，倒是一件好事，再也不用喝那些苦药汁了。

“豆豉味苦，性寒，归肺、胃经，可解诸毒，可疏风清热，更能祛烦、宣郁，一般外感伤寒多可使用。”朱有德说着，嘴里也津津有味地吃着。

“那可真是太好了，我这两天就感觉鼻孔有些不通呢，我要多吃些豆豉炒豆腐才行。”小神农眉开眼笑，大口地吃起了豆豉炒豆腐。

——透疹清热的水上漂

进了腊月，朱有德的妻子就开始准备年货了。这天，她从集市上买回了两只鸭子，说：“这鸭子还是今年的新鸭呢，主人家竟把它卖了，多可惜呀。”

“师娘，人家为什么要把新鸭卖掉呀？”小神农好奇地问。

“鸭子吃得多，冬天又不产蛋，要是天热的时候，赶去河塘也就行了，现在都结冰了，主人家肯定觉得不好养了吧。”师娘分析着。

“鸭子最喜欢吃浮萍了，我娘就总是赶鸭子到河里去的。”小神农想起自己家养的鸭子。

“好好的浮萍，都被这些鸭子啄坏了，还是不要养的好，杀掉吃

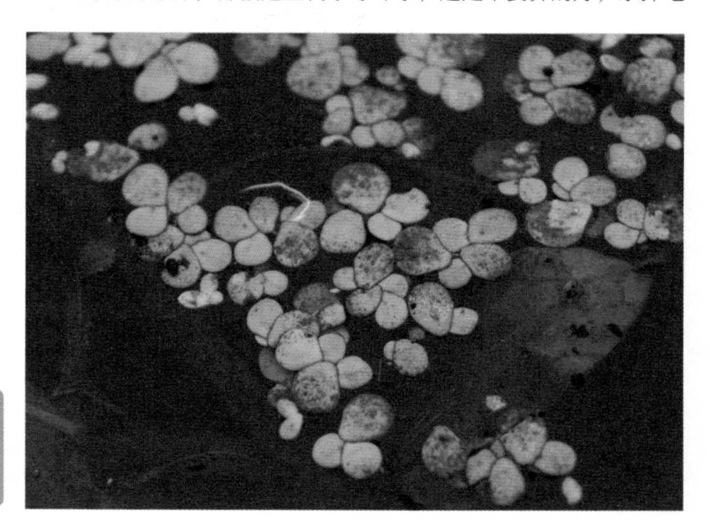

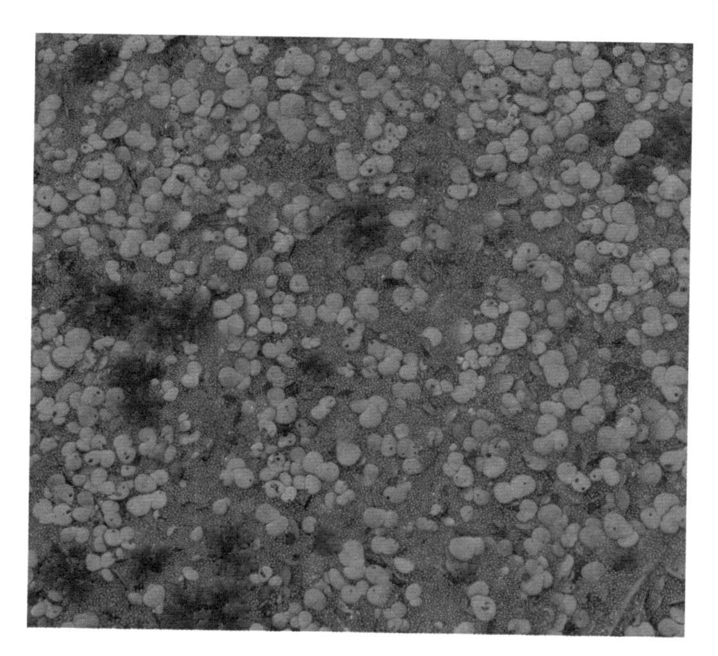

肉吧。”朱有德似乎一点也不喜欢鸭子，倒更爱那些浮萍。

“师傅，浮萍又没什么用，能喂喂鸭子不是挺好的吗？”小神农不理解师傅的想法。

“谁说浮萍没有用？那可是清热解毒的中药呢，就因为被鸭子啄得不像样子，才没法使用了。”朱有德说。

“什么？浮萍也是药啊？”这下小神农真吓一跳，从小到大，人们似乎都用它来喂鸡鸭，还总是说浮萍无用呢。

“当然呀，浮萍可连叶带根一起入药，其味辛，性寒，可发汗透疹，清热解毒，治疗表邪发热、麻疹、水肿等症很管用呢。”

“师傅，浮萍也有根啊？我以为它只长叶子……”小神农听说连

叶带根入药，一下不明白了，浮萍有根吗？

“既然有叶，怎么会没有根呢？它的叶下就是根呀，很纤细，根冠钝圆，而且只有一条，这些你都没注意到吗？”朱有德才真的吃了一惊，小神农怎么会这么马虎呢，居然不知道浮萍有根。

“我只看过它的叶子，感觉圆形的叶子绿而平滑，虽然不透明，但有光泽，叶子背面是浅黄色或者紫色的，有不明显的脉纹。”小神农不好意思地说。

“那它的花呢？你看到过没有？”朱有德又问。

“看到过，是黄色的小花，单性生长，雌雄同株。就在叶子中间长出一个梗，然后长出佛焰苞翼状，1朵雌花，2朵雄花。而且它还会长种子呢，好像陀螺一样，种子上有凸起的胚乳和脉纹。”小神农心想，还好我平时仔细观察了它的花和种子，不然要被师傅笑话死了。

“可是你没看到它叶子下面的囊吧？新叶子就在那囊中长出来的。而且新叶子的柄细短，与母体相连。”朱有德挑着小神农没说到的地方提醒。

师娘看不下去了，说：“得了，别在这里挑小神农的错了。你们一起去杀鸭子吧，今天可以炖鸭子吃了。”

朱有德这才笑起来，说：“小神农，今天晚上我们又有美食吃了。”说完，师徒俩抓着鸭子到后园去了。

竹叶参——退高热的上好药

时间过得飞快，转眼春天来了，小神农学医也快满一年了。在这段时间里，他不但认识了很多草药，而且人也长高了一大截，体质比刚来时好了很多。

只不过，现在天气乍暖还寒，朱有德并不会像夏天一样每日上山。所以，他总是让小神农自己看草药，遇到不会的再来问。

这天，小神农在药库统计数据，发现了一袋扁圆柱形的干燥根茎，其状稍显扭曲，长5～10厘米的样子，表面黄棕色，带有细纵纹。根茎很脆，轻轻一折就断了，断面呈黄白色。再闻下气味，一股淡淡的甘辛气息。

“师傅，这是什么药？我怎么不认识呢？”小神农拿了一根，到朱有德面前询问。

“这是竹叶参，是上好的清热解毒中药。其味苦，辛，性凉，可清火毒，泻火热，舒筋活血，是治疗高热不退、骨蒸潮热的上好药物。”朱有德看了看，又说，“要不将它都拿出来吧，也该透透风了。”

“师傅，竹叶参是竹科的植物呢，还是属于参类？”小神农不懂了，它到底算参类的还是竹类的呀。

“它是多年生的草本植物，不同于参类也不同于竹类。它高可达1米，但根茎很短，须根多数且簇生。它的茎很细，有分枝，叶子互生，带短柄。叶片质薄，为卵状披针形，前端尖，基部圆，有明显的平行脉。”

朱有德停下来，喝了口水，又继续说：“竹叶参夏天开花，花序生于顶端，有的与叶对生。花柄不长，数朵花簇生，苞片与叶片相似，6片花瓣，如同钟状，颜色洁白或者淡紫，下垂开放。花谢之后，会结球形的浆果，里面长2～3颗黑色的种子。”

“师傅，夏天的时候，您带我去看看吧，我感觉它的样子挺可爱的。”小神农好长时间没上山，有点按耐不住了。

“上山也没有用，竹叶参多生于长江以南，它对我们本地的土壤可不怎么适应。”朱有德笑着说。

“哎，又要好久上不了山啦。”小神农垂头丧气地说着，去后园晾晒竹叶参了。

白药子
——治疗热证的吊乌龟

那天，张大爷在朱有德家待了很长时间，直到吃过晚饭才离开，临走的时候还对小神农说：“过两天药到了，我会再给你们送一种新鲜的药来，到时肯定让你有惊喜。”

这一说不要紧，小神农为了等这惊喜，每天吃不好，睡不香，就坐在药堂等着张大爷的人来给送药。朱有德笑着说：“还好张大爷说的是两天。要是两个月，你不是什么事也做不了啦？”

小神农可不管，他一直等到第三天下午，张大爷家的人才来到，居然就只有两个小布袋。小神农也顾不得嫌少了，先打开来看看是什么东西。

袋子里是一些颜色暗褐色的团块，不规则，有圆柱形的，也有几个短圆柱形的根相连接的，那样子呈弯曲状，带着横沟，甚至是几个连成一串，呈念珠状。不过，这些块根很易折，断面是粉性的。

“师傅，这就是张大爷说的惊喜啊？这是他在地上捡回来的烂树根吧？”小神农一点也高兴不起来。

“那就是你不识货了，这是真正的好东西。”朱有德笑了。

“师傅，它到底是什么药呀？您快给我说说。”小神农看师傅满意的样子，心里不免着急起来。

“这药叫白药子，又名吊乌龟，是多年生落叶藤本植物。平时取块根入药，根茎稍木质化，略带紫色。而它的叶子互生，带长叶柄，为盾状，叶片圆三角形，前端突尖，基部平截，全缘，有的带有微波状。叶片上面绿色，下面粉白色，都没有毛，是纸质的，但可见5～9条掌状脉。”朱有德一边说，一边看那些白药子。

“吊乌龟会开花吗？是不是开的花或者结的果像个小乌龟呀？”小神农这下高兴起来了，这个药的名字真有趣。

“它每年6～7月才开花，花序腋生，带总状花序梗，苞底呈盘状花托，20朵左右簇开。雄花是淡绿色的，6个萼片，3个花瓣，雌花则长在叶腋下，花被左右对称，1个花萼，2个花瓣。结出来的果实是紫红色的核果，球形，肉质，背部有4行小横肋状雕纹，每一行会有17～20颗种粒，胎座不穿孔，至8～9月成熟。”朱有德虽然说得这样仔细，但真实的样子他也没见过，全都是当年听自己师傅说的。

“它确实挺有意思的。师傅，这种药有什么功效？”小神农听得入了迷，想着它一定有什么特别的功效了。

“白药子味苦、辛，性凉，归脾、肺、肾经，清热解毒、散瘀消肿功效了得，用来治疗咽喉肿痛、热毒痈肿、腹痛、吐血、泻痢等症都可以。你应该看一看《本草图经》，上面可有详细的记载呢。”朱有德想起来，自己初学时，也是按这本书学的。

“师傅，我现在就去看书。”小神农不等药物接收完，便急着跑回房间去查看医书了。

大黄——治疗上火之症的将军

等到小神农把书里讲白药子的段落都看完，再出来一看，张大爷派来送药的人早走了。他着急地说："哎呀，我还没让那人给张大爷带句话呢。"

朱有德正看着另一袋药，听他这样说，便问："你有什么事？张大爷不是刚走几天吗，又想他了？"

"不是的，师傅，您看张大爷多小气，才带了两种药来，而且都是小半袋，我就是想让那个人告诉他，下次给我们多带几种，量也要多一些。"小神农说着，走上前去与师傅一起看药。

“这些药都不能多用，小半袋就够用一阵子的了。”朱有德将手里的药放在鼻下闻了闻，对小神农说，“这种药是平时很少用的大黄，又名将军。其味极苦，性大寒，归胃、大肠、肝、脾经，用来清热解毒、泻下、凉血、逐瘀都非常有效。但不能多用，只有上火、目赤、发热、血热严重者才会使用，量太多了，就浪费了。”

“哇，这就是将军呀，怪不得才这么少，我来看看它什么样子。”小神农拿起一片，细细观看大黄的样子，只见它外表黄棕色，有类白色网状纹理及星点，内里具放射状纹理，呈明显的层环，气味香中有涩。

“师傅，大黄树长成什么样啊？怎么功效这么厉害？”小神农关心起它的出处来。

“大黄有多个品种，不过，用来入药

的被称为南大黄，又名马蹄大黄。因为这种药晒干之后，根茎中心收缩，陷成马蹄形。”朱有德指给小神农看。

“还真是这样，我都没注意呢。”小神农拿在手中，越看越觉得像马蹄。

“它其实算不得树，应该是多年生的草本植物，只不过比较高而已，约1.5米高。茎直立生长，带有较密的节，并具柔毛。叶片圆形，直径可长40～70厘米，非常大，边缘有掌状浅裂，有的还带粗齿，叶子前端尖，基部心形，5条主脉。”

“那它会开花吗？长成什么样呢？”小神农追问道。

“也会开花的，花果期在6～7月。花序圆锥状，分枝开展，很大形，不过，花朵不大，4～10朵簇生，花被6个，2轮生长，呈淡绿色或者黄白色。花瓣边缘不齐，略圆，花谢后会结三角形的瘦果，顶端下陷，是红色的。”朱有德细细地解说南大黄的外形特征。

“它既然有好几种，我怎么区分呢？”小神农心想，如果我以后将其他大黄与它混淆了多不好呀。

“其实，其他品种与南大黄最大的不同就在于基生叶不同，其他种类都是基生叶带5个浅裂，裂片呈大齿形，托叶则带鞘膜质，比较透明，上面还有短毛。另外，其他大黄的花也比较大，花蕾是椭圆形的。记住这些，你也就不会与南大黄混淆了。”朱有德笑起来，没想到这个小家伙还挺有心。

“师傅，我记住了。现在我们要把这些大黄放在哪里呀？”小神农立刻就想给大黄找一个“家”来安放了。

“放到后面的药库去吧，你可千万不能随便给人配药使用。”朱有德嘱咐完小神农，背着手回自己房间去了。

滇南美登木——最善凉血的花纹树皮

“你这一包又是什么呀？难道不准备给我看看吗？”朱有德看小神农望着药盒子发呆，便提醒他。

“哦，我忘了，师傅。这是一包木片，不知道做什么用的。”小神农一下醒过神来，连忙把另一包药打开。

朱有德拿了一片仔细观看，只见木质外皮红棕色，带有细小斑纹，皮面相对光滑，闻一下味道，透着淡淡的苦味，便对小神农说：“你的邻居是不是生活在云南？”

“师傅，您怎么知道的？他说他就在云南和四川交界的地方，还说那边有很多草药呢。”小神农惊讶地问。

“这种药材是云南的特产，叫滇南美登木。当地人会用它的根、茎、叶捣碎，制成药酒来治疗跌打损伤。”朱有德说。

“这么说这种药材是专门消炎的啦？”小神农开始看不起这几片花材，现在反而觉得它有些意思了。

“确切地说，它是清热解毒、消肿化瘀的药物。因为它味苦、辛，性寒，归肝、脾经，最善凉血止痛。”朱有德认真地纠正道。

“那这种树是不是非常高大呀？一听它的名字，就觉得很高大呢。”小神农仰着脸，快速在脑海中想象它的样子。

“那大概又让你失望了。它是常绿灌木，可以长2~3米，只能说高度一般。不过，它的枝很粗壮，而且不下弯，并且带有刺，表皮灰绿，外观很是遒劲有力。”朱有德笑着说。

“那它的叶子什么样？会开花吗？”小神农果然噘起了嘴，这么矮的树，还不如自己在山上看到的高呢。

“叶子很厚，为革质，是长方倒卵形的，前面尖，后面楔形，下延生长，看上去倒有几分怪异。每年4月开花，花朵不大，是白色的小花，花序为聚伞状，雌雄同株，经常数朵丛生。花朵谢了之后，会长出扁球形蒴果，带有明显的3棱，外皮革质，里面包有1～2颗种子，果皮初生是绿色，成熟了就会长成棕红色。”朱有德边翻看药材，边说。

“是每朵花都会长一个小果实吗？这样生一串果实就像小铃铛一

样了吗？倒是挺好玩的。”小神农想象着滇南美登木结果的样子，不由得笑了起来，“师傅，这些药您也要放在药盒里吗？”

“不用了，送给隔壁的李奶奶吧。听说她这几天胃不好，这些药对胃痛很有好处呢。”朱有德也笑了。

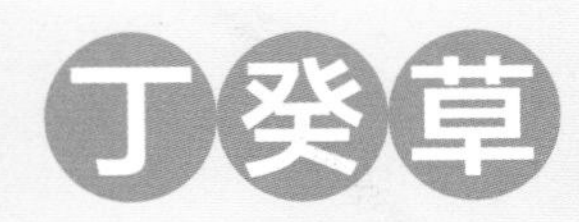

丁癸草——凉血解毒的人字草

“师傅，这是最后一包了。不过，我可以确定，它就是一种草，只不过我没见过这种草，所以也给您带来了。”小神农说着，将最后一个纸包打开，里面果然是几根黄色的草茎，只见那草茎纤细，为丛生状，小叶带有皱纹，呈完整的披针形，在叶尖还有一根尖刺。

“这种草也不奇怪，在云南一带有很多，田间地头都能找到。但它天生带有药性，其味甘、淡，性凉，归脾、肝经。所以，它是清热解毒、凉血除湿的药材。”朱有德说着，拿起一根草来，指着叶片背面说：“你仔细看，它上面应该有一些黑色的小腺点，对不对？”

“还真是这样的。师傅，这种草叫什么名字呀？”小神农拿着草又细细地看了一遍。

“它叫丁癸草，是多年生的小草本植物，高15~60厘米，茎枝纤细，丛生，分枝可独立生长，茎秆光滑。你看它的小叶子，在轴部顶端只有2片，相互对生，又细长状，如同一个‘人’字，所以当地人又叫它人字草。”朱有德拿着药草细细地为小神农讲解。

“哦，它可真有意思啊，也算是有文化的植物了，还长成了文字的模样。”小神农笑起来，“师傅，它开花吗？应该也结种子的吧？”

“对呀，它每年6~8月开花。不过，它的花序生得很早，从春天开始就会生成总状花序，有数朵花集在一起，要一直慢慢开到秋天。花朵下有卵状的苞片，基部有距，将花朵几乎都盖在下面，花萼带膜质，为二唇形，带短柔毛，花瓣是黄色的，花丝连合成单体状。花落之后，结荚果，荚内有2~6粒种子，而且外端带有倒钩刺。”朱有

德仔细地讲解丁癸草的样子。

“师傅，您又没去过云南，怎么知道这么多啊？”小神农感慨地说，心里真是又羡慕又嫉妒。

“谁说师傅没去过云南？只不过就算去了很多地方，也不一定可以看到所有的药材。所以还是要好好看书，书中有你想要知道的一切，知道吗？”朱有德认真地说。

“好吧，这次人家给我三种药材，可我一种也没认出来。我娘说我没有好好学呢，下次我可不能这样丢脸了。”小神农红着小脸，低下了头。

“我们小神农会用功的，不用着急，只有慢慢学的知识才更扎实呀。”朱有德抚着小神农的头，脸上露出了满意的笑容。

冬青皮

——专为肝清热的树皮

镇上有一家茶馆，每天总有一位说书艺人在那里说书。这天小神农去给茶馆老板送药，出来时就在门口听起书来。结果，他只顾听书，把时间忘了，回到药堂，已经到了快要吃晚饭的时间。

朱有德沉着脸：“小神农，你去哪里送药了？一去就是半个下午。”

“师傅，我错了，我本来很早就会回来的，可是那说书人讲得太好听了，结果我就忘了时间……”小神农搓着自己的衣角，头恨不得低到桌下去。

“下不为例。”朱有德知道，对于小神农来说，什么新鲜事都有可能吸引他，因为他天生就是好奇心强的孩子。

“是，师傅，我记住了。”小神农一见朱有德没生气，立刻眉飞色舞地说起自己听来的故事：“师傅，原来英雄好汉这么厉害呀，噌一下就跃到冬青树上……对了师傅，冬青树高不高？如果太高我估计他跳不上去。”

“冬青树可高呢，最高可以长到12米。树皮淡灰色，光滑无毛，树干多笔直生长，只有树冠处才有分枝，如果不会武功，想要爬上去可不容易。”朱有德笑起来，心想，这些说书的也真是煞费苦心，为了显示英雄武艺高强，还特别找这种又高又直的树木做道具。

“师傅，明天您带我去看看冬青树吧，一定非常高大。”小神农的好奇心很快随着朱有德的描述转到了树上。

“我们这边可不多见，它多生长在长江以南地带。”

“又看不到了，真可惜，师傅，您给我仔细讲讲冬青树长什么样吧。”小神农靠近朱有德，一脸急切的神情。

“冬青是四季常绿的乔木，叶片互生，长成狭椭圆形，叶面光滑，较厚，有革质。它前端尖，后端楔形，边缘带有浅齿，到了冬天，绿色的叶子可以变成紫红色。”朱有德慢悠悠地说着。

“冬青树倒是挺好看的，那会开花吗？”小神农更加感觉冬青树可爱了。

“它每年5月开花，花序生于叶腋，花朵雌雄异株，4裂花萼，4个花瓣，4个雄蕊，花并不大，淡紫色。花谢之后，可以长6～10毫米大小的核果，椭圆形，成熟的核果是红色的，里面长有4颗种子。”朱有德看到过冬青，他也有些为小神农可惜，好奇心这么强，能见的植物却那么有限。

“冬青树可真好，如果自己能种一棵观赏就好了。”果然，小神农感慨起来。

“要我说，冬青的皮才是最好的。因为它味甘、苦，性凉，归肝、脾经，可直接入药使用，不但清热解毒，而且止血止带，非常实用呢。”朱有德顺便给小神农讲起了药性。

“师傅，原来冬青皮还能入药呢？那它不是更可爱了吗？”小神农惊讶地说，“可惜我都不知道这些。”

“那还不快去书里找答案。”朱有德说着，将《本草纲目》递给小神农，“你今天下午没看书，晚上去查冬青皮的用途及炮制方法，明天我再考你。”

小神农一听，立刻吐起舌头，说：“师傅，您怎么还记着下午的事呢，真是的。”一句话将朱有德和师娘都逗笑了。

番红花——安神解热蓝红花

今天阳光特别好，而且没有一丝风，朱有德看看天空，说：“这样好的天，如果能出去走走就好了。”

“师傅，我们上山吧，已经好久没去了呢。”小神农立刻在一边出主意。

“那可不行，师傅还有事要做呢，不然错过这样好的天气，就更可惜了。”朱有德笑着，回身进入房间。

“师傅，您不是说出去走走很好吗？还有什么更重要的事呢？”小神农追着朱有德跑进房间。

朱有德并不说话，只是从高高的书架上取下一个黑色的雕花盒子，并吩咐小神农："去拿出最细的织布来，铺在药架上，记得还要把纱罩拿出来，师傅要用。"

小神农被朱有德说得迷糊了，心想：师傅这是要做什么呀，这么神秘？他一边想着，一边按着吩咐，在院子里架起了细目药架，并找出了纱罩。

朱有德这才轻轻将那个盒子打开，小神农一眼就看到了，里面是半盒干瘪无光，颜色黄红色的花瓣。它的顶端边缘带有齿状，柱头线形，长3毫米的样子，不过气味很浓，一打开就闻到了一股特别的刺激性味道，这味道中又散发着淡淡的苦味。

"师傅，这是什么呀？"小神农说着，就要伸手去拿。朱有德却一下将小神农的手打开了，说：

“不要乱动，这可是名贵中药，叫番红花，出产于西番国。《本草纲目》中说‘番红花出西番回回地面及天方国，即彼地红蓝花也’，说的就是它了。”

“哇，原来是外番过来的中药呢。师傅，这些是它的花吗？您快给我说说它的样子。”小神农惊呆了，师傅居然还藏着这样的好东西呢。

“番红花是多年生草本植物，根为扁圆形的球茎，外皮包有黄褐色的膜质，叶片基生，可长9～15枚，为灰绿色的条形状，长15～20厘米。它的叶边反卷，叶从基部包有鞘膜，花茎非常短，几乎不伸出地面。一次开1～2朵花，花被裂成6片，2轮生，状如倒卵形，颜色淡蓝色，也有白色或者红紫色。它的花药是黄色的，微弯，花柱橙红色，略扁，顶端带有浅齿，雄蕊很长，入药的部分就是花柱和柱头了。”朱有德一边说着，一边小心翼翼地将番红花放在药架上，又给它盖上了药罩，才长舒一口气。

“师傅，番红花这么名贵，能治什么病呢？我可从来没见您用过。”小神农隔着纱罩，反复看那些番红花。

“它味苦、甘，性平，可以活血化瘀、清热解毒、解郁安神，用来治疗妇科疾病、温毒发斑、忧郁痞闷、燥狂惊悸都是很好用的。一般只有遇到非使用它不可的病，为师才会拿出来。”朱有德得意地笑了，收藏这点番红花可不容易，怎么能随便就用掉呢。

“它不长种子吗？我们为什么不自己种一些？”小神农疑惑地问。

“当然长种子。它每年要到10～11月开花，花谢后才会结出长圆形的蒴果，带有三条钝棱，种子包在壳内，又小又多，圆圆的。但它很不好种，而且气候也不允许，现在藏地一带倒有种植者。”朱有德说完，便坐在一边，直勾勾地看着这些番红花，不再说话，小神农只好悄悄地到药堂去了。

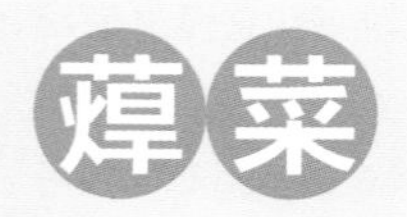

䓬菜——除热理气的野菜

在经过了漫长的冬季和干燥的春季之后，小神农终于又可以上山寻找草药了。这一天，朱有德带着他走向阳的南坡，说：“现在天气乍暖，一些野菜应该都长出来了，像样的草药倒还需些时日。”

“那我们就挖野菜也好呀，这样就省得师娘每天为吃什么菜发愁了。”小神农乐呵呵的，他可不管上山挖什么，只要能经常出来跑跑就心满意足了。

“你应该说省得你在家闷得不知做什么才是。”朱有德笑起来。两个人说着，来到了山坡的下洼处。朱有德有经验，每年的春末夏初，山坡洼地就是最暖和的地方，有一些植物会早早地在这里冒出头来。

“师傅，这里只有一些不红不绿的野菜，而且长得也不好看，应该不能吃吧？”小神农看到一种奇怪的植物，它茎直立，带有分枝，

上面还有纵条纹，带着紫色。叶子也挺特别的，由基部生长，柄基部抱茎生长，叶片前端大，分成羽裂，边缘还都是浅齿。

“呀，这些野菜倒不错呢。师傅年轻时在湖北生活过一段时间，那里最爱长这种野菜，当地人叫它蔊菜。”朱有德蹲下身去，已经有多年没见过这种野菜了，它在北方很少有。

“蔊菜？从没听说过这个名字。不过，它的叶子这么多裂，茎还是紫色的，感觉就像朵花一样。”小神农拔起一根，看到基部光滑，并无柔毛。

“它可是会开花的，不能把叶子当成花。快看，这是小花苞，呈长圆的卵状，萼片是长圆形的。它就要开花了，开出的花是黄色的，不大，花瓣如同匙形，和萼片差不多大。”朱有德指着茎间的花蕾说。

“哦，它是4月份开花，对吧，师傅？”小神农总结出了蔊菜开花的日期。

“嗯，差不多吧，每年4～5月它就会开花。花谢之后还会结长角果，细长形的，稍有内弯，顶端带喙，里面生有细小的卵圆形种子，2列生长，是褐色的。”朱有德说着，开始挑蔊菜了。

“师傅，这菜可以吃吗？感觉口感不一定好。”小神农似乎不怎么喜欢这种野菜。

“你这回可说错了，它不但能炒来吃，还能入药，其味辛、苦，性凉，归肺、胃、肠经，晒干了用来清热解毒、健胃理气、镇咳化痰都很有效。”

“没想到这么不起眼的野菜，功效还挺多。师傅，我们来比比谁挖得多。”小神农加快了手下的动作，抢着挖起蔊菜来。

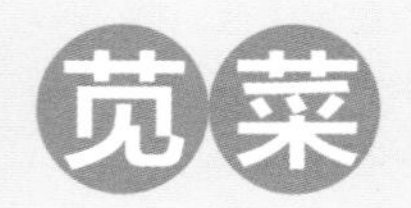

苋菜——餐桌上的清热护肝菜

随着天气变暖，朱有德已经开始在后园里种各式各样的蔬菜了。朱有德的妻子和小神农一个下种，一个浇水，三个人边干活边聊天。

“这些豆角应该比南瓜长得快，而且吃起来也爽口，很下饭的。”小神农说。

“我可不怎么喜欢豆角，爱生虫不说，也不容易入味，烧起来最麻烦。”师娘给南瓜苗浇了一些水，“你看，还是南瓜更好，种起来简单，长起来却很多很大，吃着也绵甜。”

“其实，要说吃菜，还是南方比较好，现在人家已经有苋菜可吃了。”朱有德意味深长地说，他曾经有过江南生活的经历，也不知是不是人老了，经常会回想起那时的生活。

“苋菜是什么菜呀，师傅？我们为什么不种一些呢？”小神农马上问，对于未知的事物，他总是第一个发问。

“这可难了，苋菜长在江浙一带，喜欢湿润，我们这里可不容易种啊。不过，它很有意思，分成绿色和红色两种。烧好之后，绿的苋菜汁叶浓绿，而红的则叶片红绿，汁水发紫。第一次见到它，我都不敢吃呢。”朱有德想起初次吃苋菜的情景，不由得笑了。

“师傅，这是什么菜呀，怎么会烧好之后汁水就变色了呢，您快给我们讲讲。”小神农着急起来。

“嗯，说起来苋菜也是一种药材。它为一年生的草本植物，可高80～150厘米，茎很粗壮，带分枝，枝上无毛。叶片如菱状卵形，叶端带尖，基部楔形，边缘有微波，叶柄长2～6厘米。”朱有德说着，干脆停下手中的活，坐在了地边。

“苋菜入菜时是割嫩茎叶食用的，5～8月为花期，花朵簇生于叶腋，苞片为卵状披针形。花数朵同开，雌雄混生，花被带有膜质，为绿色或者黄绿色。开出的花是杂色，黄色、紫红色都有。花谢之后，它还会结出种子来，是矩圆形的胞果，上面有环状横裂，里面包着黑色圆形种子，细小明亮。”朱有德捶着腰腿，接着说道。

“师傅，您为什么要说它也是药呢？这不明明是一种菜吗？”小神农想起师傅前面说的话。

“这是因为苋菜味甘，性凉，归肺、大肠经，有清热利湿、消毒去肿、明目护肝的功效。它的根、种子、叶子、茎都可以晒干炮制，当然就是一味药了呀。”

“原来是这样啊，可惜，这么好的东西我们都没办法种一些。”小神农也坐在朱有德身边，叹息地说。

“你们爷俩，不要只说药了，快来给菜浇水，我们现在可是在种菜呢。”师娘见他们两个只顾讲药，却不干活，不满地抗议起来。朱有德与小神农这才回过神来，连忙站起身，又继续干活去了。

丝瓜络——透风通络的丝瓜巾

在朱有德家的后园篱笆上，挂着几个去年老掉的丝瓜，皮已经干了，变成了土黄色，一捏就碎开来。朱有德的妻子将它摘下来，然后去掉外皮，抖掉种子，取里面的丝瓜络剪成一块一块的。

小神农在一边看着好奇，就问："师娘，您剪这丝瓜络做什么呢？"

"你不知道了吧？用它来洗碗可实用又方便呢。"师娘笑着说。

"哦，这个办法真好。我家每年也种丝瓜，老了的都被我娘烧火用了。"小神农拿起一块丝瓜络，放在眼睛前面，当成望远镜看远处。不过，丝瓜络为丝状维管束交织状，中间还不直，所以根本看不

到对面的东西。

“小神农，丝瓜络可不只是用来洗碗的。”朱有德在一边说。

“那还用来做什么？”小神农好奇起来。

“在我告诉你它的用处之前，要先考考你。你给我讲一讲丝瓜的特征，一定要详细哦。”朱有德放下锄头，也拿起丝瓜络看起来。

“这还不简单嘛，从小我就看它生长。它是一种攀缘植物，茎可长十多米。不过，它的茎上有5棱，不但不光滑，还有粗毛，摸上去有些刺手。”小神农一本正经地学着师傅的样子，继续说，“它通常会有3裂的卷须，叶子如掌状，裂片三角形，前面尖，边缘有齿，两面无毛。每年7～10月为花果期，花瓣联合生长，呈倒卵形，长约

4厘米，颜色是黄色的。果实就是丝瓜，长圆柱形，有的稍弯，表面绿色，果肉带有纤维，成熟之后就变成黄绿色。干的就是这样的土黄色，里面可见3室，纤维淡黄白色，种子椭圆形，是黑色的扁平状，还带着膜质狭翅。”

“不错不错，说得又全面又正确。可是你为什么不知道它另外的用途呢？”朱有德等小神农说完，便夸奖起他来，但又提出了问题。

“师傅，您就给我说说嘛，丝瓜络还能做什么用呢？”小神农可想不出来，嫩的丝瓜可以吃，老的丝瓜络可以洗碗，这是目前他掌握的所有关于丝瓜的知识了。

“当然是入药呀。丝瓜络又叫丝瓜筋，其味甘，性凉，归肺、胃、肝经，有清热、解毒、通络、祛风的功效。你连这都不知道，怎么能做大夫呢？”朱有德笑起来。

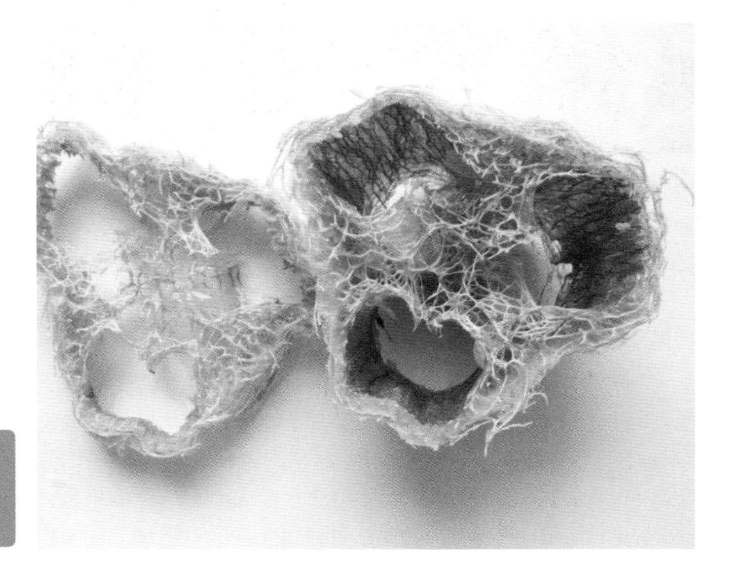

“师傅，这是真的吗？那不要让师娘洗碗用了，我们收起来入药多好呀。”小神农两眼放光，他想不到平日吃的丝瓜居然就是入药的好东西。

“没那么夸张，我们平日采的药足够用了，就不和你师娘争这点丝瓜络了。”朱有德笑着放下丝瓜络，又去整理他的蔬菜了。

牛筋草——能散热防暑的钝刀驴

小神农清理园子的时候，发现了一种舌状叶片的草，不但根系发达，而且韧劲十足，想要拔起来非常不容易。

“师傅，这种草最讨厌了，长得特别深，还特别容易活。”他一边用力地拔着草，一边抹额头的汗珠。

“要用铲刀，拔太费力气了。”朱有德见小神农拔得吃力，便递给他一把小铲刀。

“师傅，您看它的秆这么细，虽然是丛生的，根部还呈现倾斜状，叶鞘两侧也是压扁的，带一条脊，但这细细的秆又光又滑，特别有力气，想拉断它都很费力。”小神农说着，试验给朱有德看。

“你知道这种草叫什么名字吗？”朱有德停下手中的活，开始给小神农讲植物特征了。

“不就是野草嘛，它有什么特别的名字？”小神农看师傅的神

情，觉得这草可能不那么简单。

“它的名字叫牛筋草，又名钝刀驴，所以坚韧难断。它的叶子就是线形的，但它生命力顽强，每年6～10月就会开花结籽。它的花序多为2～7个簇生于秆顶，基本不会单生，花序长成小穗状，宽2～3毫米，含3～6朵小花。花颖为披针状，带有粗糙的脊。花朵外稃为卵形，带膜质，还有狭翼。花谢之后，花序上就会长出囊果，基部下陷，有明显的波状。这些小种子成熟后，经风一吹，便传播得四处都是了。”朱有德想找个花穗给小神农看，但在这个时节，它还没有结出穗来。

“这个名字倒还贴切。不过，这种草没什么用，牛羊都不喜欢吃，要那么强的生命力有什么用呢。”小神农可不喜欢它，为了拔掉它们，自己都快累死了。

“你认为它没用吗？它可是能入药的，到了秋天，将它们收集起来，晒干切断，就可以当成药使用了。”朱有德说。

“啊？不会吧？这种草能治什么病呀？”小神农真没想到，一棵不被人喜欢的野草，居然是入药用的。

“它味甘，性平，归肺、胃经，可清热，能利湿，除热毒，小儿受惊吓、痢疾、发热、中暑都能使用。而且它性质温和，又不刺激小儿身体，你说它好不好呢？”朱有德问。

“我现在总算知道了，任何存在的东西都是有一定用途的。这样的牛筋草虽然农民不喜欢，牛羊也不喜欢，但孩子生病时就体现出重要性了。”小神农无限感慨，说得一本正经。

“哈哈，好了，快干活吧。干活的时候要带着欣赏的心情，这样就不那么累了。”朱有德笑着，又去锄地了。

——清阴虚除内热的一线香

自从能上山采药之后，小神农感觉日子过得快极了，一晃就是一个月过去了。天气变得有些热，走几步路就会出汗。

“师傅，我们到山坡的树阴下歇一会儿吧，您都出汗了。”小神农看师傅越走越慢，便主动提出来休息。

“好。师傅老了，这腿脚一年不如一年啊。”朱有德虽然很不想承认自己老了，可看着小神农活蹦乱跳的样子，不得不承认自己已经上了年纪。

“师傅，您为什么不给自己进补一下身体呢？这样您就可以长生不老了呀。”小神农天真地说。在他眼里，医生就是最神圣的职业，不但可以治病，更能让人长寿。

“哈哈，天下哪有长生不老的药呢？如果真是这样，世界上的人不是要多得挤死了？”朱有德听得哈哈大笑起来。

“师傅，您看这个草真有意思，小花都是转着圈开的。”小神农发现坡下的杂草里，长着一种开粉色小花的植物。

“哦，这是好东西。”朱有德也看到了，快步走了过去。

“师傅，它是什么草？有什么用？”小神农围着那株植物转了几圈，大致看明白了它的样子：茎高15～45厘米，叶子多枚，但都生在茎基部，呈线状披针形，最长的有15厘米。叶片全缘，最下面的

抱茎生长，带有鞘片。花序穗状，旋扭状，花轴无叶，苞片为矩圆形，花是白中带粉红的颜色，花瓣线形，唇瓣还带有皱褶。

“它叫盘龙参，又叫一线香，或者胜杖草，是一种多年生的草本植物。”朱有德也细细地看那些盘龙参，确实很好看。

“它会不会结种子呀？我们自己能种一些就好了。”小神农看到只有花，却没有果实生出来。

“会的，花谢之后会长椭圆形的蒴果，上面带着细毛，一般夏天和秋天都可采摘，全草连根，都是好东西。”

“用来入药吗？这个名字我感觉像一味药。”小神农追问。

“对，它就是一味中药。其味甘、苦，性平，不但能清热解毒，还可益气养阴，对阴虚内热、咳嗽吐血、身体虚弱、精神不足、头痛腰酸等症都有治疗作用，你说它好不好？”朱有德在想，要不要把这盘龙参采收起来。

“果然是好东西，师傅，快把它挖下来吧，不然会被别人挖走的。”小神农看师傅犹豫的样子，十分着急。

“好吧，那我们就把它采回家，今天也算有意外的收获。”朱有德也笑了，与小神农一起挖起盘龙参来。

铺地草——铺在地上的解毒清热药

这天，朱有德与小神农在山上转了一天，什么也没有发现。朱有德说："山坡这边应该是不长什么东西的，我们要记住，下次不到这边来了，免得跑冤枉路。"

"会不会是我们爬得不够高呢？"小神农觉得，再往高处走一些，说不定就有好东西。

"虽然不能确定山上有什么，但这道山坡要比其他地方的植物少多了，还是少来为好。"朱有德坚持自己的经验，带着小神农往山坡下走。

走到山坡的下面时，朱有德已经满头大汗，又对小神农说："你看这山坡，直陡向上，一路光秃秃的，再往上不是更累人了吗？"

"师傅，我们明天爬它背后那道坡吧，这边确实植物不多。"小神农看师傅在流汗，便将自己的手绢递了上去。

“好，我们现在坐下来歇会儿，歇够了再回家。”朱有德说着，走到山坡下的小路边，靠边坐了下来。

坐了好一会儿，朱有德看看太阳，还不到落山的样子。于是拿出药筐里的铲刀，铲起地面上的一种小叶植物来。

“师傅，这些东西挖回去做什么呀？上山时我就看到了，路边好像都是呢。”小神农不理解，师傅挖不到药材，也不用挖野草呀。

“它叫铺地草，又名小飞扬，虽然多见而且普通，但也是清热解毒、凉血利湿的中草药。其味淡，性凉，归肝经，可用来治疗便血、痢疾、痈疖、湿疹、白喉等症。反正现在别的药也挖不到，不如就挖点铺地草，这样也不白浪费一天时间。”朱有德说。

“原来它也是药啊。”小神农这才明白过来，马上仔细地观察铺地草的样子。只见它茎枝纤细，基部多分枝，而且分枝匍匐状趴在地面生长。它的茎带有紫红色，朝上的一面带有疏毛。叶片是对生，长圆形，也带有紫红色。叶子前面圆，后面偏斜，叶缘有不明显的齿。

“师傅，这些小苞片就是它的花吧？”小神农指着包有被毛的花蕾问。

“对，它的苞片外面带毛，花序一般可开5朵花，1朵雌性，4朵雄性。铺地草全年都处于开花结果状态，尤其在南方，几乎随处可见。它的果实是三棱状的球形蒴果，果棱带毛，果柄很长，伸出花苞之外。”朱有德一边给小神农解释，一边挖铺地草，转眼工夫已经挖了半筐。

“师傅，您慢点，我还没开始呢。”小神农这才着急起来，马上拿出自己的药铲，飞快地开始挖铺地草，一边挖还不忘了说，“师傅，我挖不满筐，我们可不能回家。”

仙人掌——清凉败火的神仙药

这几天，院子里那盆仙人掌长出了一个大大的乳突球屑状的东西。朱有德告诉小神农，这是仙人掌的花蕾，用不了多久，仙人掌就要开花了。

这对小神农来说可是个新鲜事，他们家邻居也有种仙人掌的，但多是只有扁平肉质的茎，从来没看到过它们开花。所以，在小神农看来，仙人掌是不可能开花的。可没想到，师傅种的仙人掌却要开花了，这让他怎么能不激动呢？

这天中午，他又围着那盆仙人掌看，发现仙人掌的茎下部已经有点木质，上部扁平的肉质茎还带有节，每节都是矩圆形的。在这些茎

面上，是簇生的瘤体，每一个瘤体上都生着密密的柔毛，以及尖利的刺。那个花蕾就生在老茎的一侧，这两天又大了些，感觉有7～8厘米长了。

“小神农，这么热的天，你围着仙人掌看什么呢？”朱有德走了过来。

“我看看它什么时候开花，急死我了。”小神农实话实说。

“这两天就要开了，我看它的花蕾已经快要吐出花片来了。”朱有德也看了看那仙人掌，回身就要离开。

“师傅，为什么您种的仙人掌会开花呢？我以前从来没听说过它会开花的。”小神农说出了自己的另一个好奇。

“仙人掌本来就开花呀，只不过它只在老茎上开花，新长的茎可开不出花来。它的花期一般是3～5月，花朵多为单生，就在茎顶的边缘部位，花骨朵就长成这样的乳突球状。不过，仙人掌的花多为黄色，当然，也有紫色、白色的。它的花瓣很大，带有光泽度，稍皱，花柱是白色的，中空状，雄蕊多，雌蕊多为1个。花谢之后，它还会结出种子来呢。”朱有德详细地讲着。

“还有种子？师傅，您快给我说说它的种子什么样，人们不都是直接种仙人掌茎的吗？怎么还会有种子呢？”这下小神农就更好奇了。

“花谢之后，这个乳突球就会慢慢从绿色变成紫红色，前端还会生出细硬毛，形状长圆形。种子就在果实里面，为盔形，而且有好多颗呢。”朱有德娓娓道来。

“哇，仙人掌好奇怪啊。我听说它的茎可以吃，是吗？”小神农

满脸的惊讶。

“对，不但可以吃，而且还可以入药……”

“什么？还可以入药？这简直就是神仙药啊。”小神农顿时更加惊诧了。

“是呀，它味苦，性凉，归心、肺、胃经，可以清热解毒，也可以行气活血，对于疔疮、虫咬伤、肺痈、咳嗽、痢疾、心胃气痛等都可以治疗。炒来吃就是为了取它清凉败火的功效呢，只是一次不能吃太多。”朱有德笑了，这个小徒弟，真是什么都好奇呀。

“师傅，我们让师娘给炒一盘吃吧，尝尝什么味道。”小神农说着，咽了下口水。

“你又不想看花了？我还要留着它应急用呢。”朱有德故意板起面孔，严肃地说。

“哦，对了，我要看花，不要炒了。”小神农马上回到花的问题去，“仙人掌，你快点开花吧，我都要急死了。”说着，他还念起了阿弥陀佛。朱有德看他的样子，不由得笑起来。

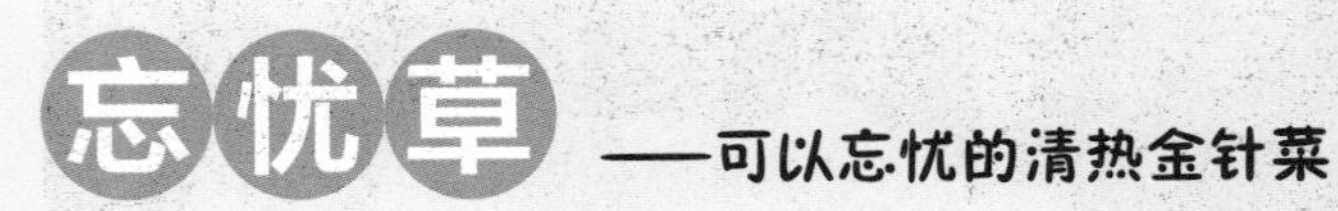

忘忧草——可以忘忧的清热金针菜

每次小神农上山，都不会忘了摘点花回家，因为师娘很喜欢花，总是将他采回来的花放在花瓶中，摆在桌子中间。

这天，师徒俩采了很多草药。没想到走在回家的路上时，小神农又发现了一种漂亮的花。那花的花葶长于叶子，基部为三棱形，还有分枝，苞片是披针形，花梗虽短，但花朵很多。花被是淡黄色的，没有开放的花顶端带一点黑紫色，开放的则如同喇叭状，边缘深裂，分成6片，多为橙黄色。

“师傅，您看这花多漂亮啊。我要摘一些带回家，师娘肯定很喜欢。”小神农说着就捡盛开的花摘起来。

朱有德看了看那些花，然后叫住小神农，说：“小神农，你不认识这种花吗？”

“不认识呀，师傅，它很有名气吗？”小神农又仔细看看花，全株高30～60厘米，叶子基生，狭长带状，下面重叠在一起，向上渐渐展开生长。

“你呀，真是白读那么多医书了。这花叫忘忧草，又名金针菜，也叫萱草。《博物志》中说‘萱草，食之令人好欢乐，忘忧思，故曰忘忧草’。你没听说过，难道也没吃过？”朱有德笑起来。

“什么？这就是金针菜吗？原来它新鲜的时候长成这样呀？还真好看呢。”小神农有点惊讶，自己那么喜欢吃金针菜，都不知道它长成这样子。

“是呀，而且你肯定不知道，金针菜不只能吃，入药的效果也是非常好的。”朱有德引导着小神农，让他朝药性方向想。

“师傅，它到底有什么药性，您快说给我听听。”小神农着急地追问。

“忘忧草味甘，性凉，归胃、膀胱经，能清热利湿、解毒消肿，而且它能明目、安神、止血、健胃、消食。所以人们才说吃了金针菜，足以让人一身轻松而忘掉病痛的烦忧，你说它是不是药呀？”朱有德摇头晃脑地说。

“果然是好药呢。师傅，它有没有种子？我们采点种子回去，自己种一片，又有的吃，又有花看，还有药采，多好啊。”小神农开始四处找种子。

“有种子，只不过还没结出来呢。花谢了它会长一个三棱状的蒴果，长3～5厘米，里面可见20颗左右的黑色种子，带棱。”朱有德看看这片忘忧草，又说，“我们还是不用找种子了，等到秋天来采挖一些，它的根、茎、叶、花都不用浪费，入药的入药，吃的吃，完全没必要自己种。”

“那我现在总要先采一些，不然回去怎么和师娘交差呀。”小神农捡着盛开的忘忧草采了一大束，小心地放在药筐里，满足地说，“师傅，现在可以回家了，今天真是大丰收呀。”说着，才蹦蹦跳跳地朝前走去。

空心莲子草——凉血解毒的水生花

在山坡下的水塘里，长满了一种倒卵状披针形叶子的水生植物，每天总有很多水鸭、大鹅游弋在其中，不断啄食植物的叶子、嫩芽。

“师傅，这些水鸭、大鹅的日子过得可真美，想吃鱼了就扎到水底，想吃蔬菜了就在水面随便啄食，多自由啊。”从山坡上走下来的小神农看到这一幕，不觉羡慕起来。

“怎么，难道你也想做只水鸭又或者是大鹅？”朱有德打趣着说。

“我可不想做动物。它们现在虽然自由，但一到过年，就要成为人们的美食了，还是做人更好一些。”小神农笑了起来。

“是呀，水鸭、大鹅可以吃的东西，人都可以吃，而且还可以连它们一起吃，不是更合算了吗？”朱有德顺势坐在山坡边，准备歇歇脚。

“师傅，您说得可不完全对。它们吃的鱼我们能吃，难道它们吃的水草我们也可以吃吗？你看这一河面的水草，要是能吃的话，早被人们抢光了。”小神农也坐下来，和师傅聊起天来。

“原来你不认识这些水草是什么呀？它不但可以食用，还可以入药呢，只不过人们习惯用现成的中药，不注意它们而已。”

“不是吧？这也是药？”小神农吃了一惊，什么也没说，顺着山坡跑下去，从河边用力拉起几根长长的水草，又一路跑了回来，气喘吁吁地说：“师傅，我说的这些水草，它们怎么可能是药呢？”

“当然是药，你仔细看看它的样子。”朱有德接过一条水草，指着它对小神农说，“它们多簇生在水中，茎上带须根，有节和不明显的四棱，在它的节腋下有细毛，茎光滑中空。叶片对生，长成倒卵状披针形，带短叶柄，叶面光滑，全缘，前端圆钝。不仅如此，它5～11月为花果期，于叶腋单生头状花序，花梗可长1～6厘米，苞片带有膜质，5片花被，5个雄蕊，花瓣基部合生成杯状，花朵白色。”

朱有德说完，看着一头雾水的小神农：“它的名字就是空心莲子草，又有人叫它水花生。它是一种外番流传到我国的植物，因为数量太多，所以其药用价值也就被人们忽略了。”

“那它有什么药用价值呢？”小神农听它的名字倒挺好听的，之前他一直称这些空心莲子草为水草。

“它味苦、甘，性寒，不但清热解毒，而且凉血明目，对于麻疹、血热等症都可以起到治疗的作用。”朱有德耐心地解释道。

“那是用它的根茎还是叶子呢？”小神农没想到，原来这种多见的空心莲子草也可入药。

“等到秋天时，将它们捞起来，去掉杂质，洗干净，不论根茎、叶子，都可以炮制使用。”朱有德说着站了起来。

“师傅，我们为什么不采一些？去年您也没炮制空心莲子草呀。”小神农不理解，这么现成的药，师傅怎么就错过了呢？

“还不是因为你非要上山吗？我只好舍近求远了。”朱有德说着，便朝坡下走去。小神农挠着头，追着师傅的脚步下山去了。

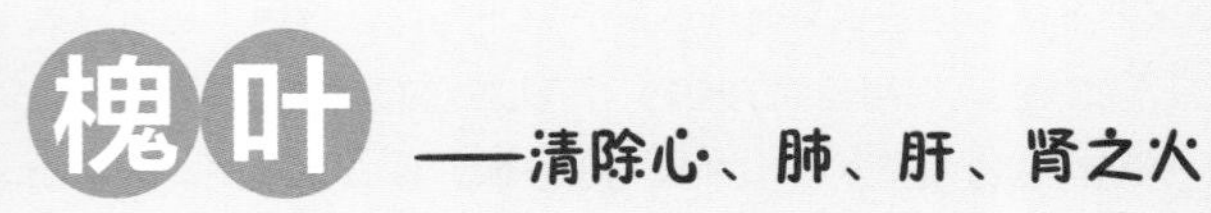

槐叶——清除心、肺、肝、肾之火

“师傅，师傅，您看我采到了什么？”中午的时候，朱有德正坐在院子里打盹，就听见小神农从院外大声叫着跑进来。他睁开眼睛看了看，小神农怀里抱着一大簇槐花。

“哦，槐花都开了。”朱有德伸了伸腰，稍有了些精神。

“很好吃呢，里面的芯甜甜的，师傅，您也吃一点儿。”小神农将它放在桌子上，催着朱有德吃槐花。

“师傅不喜欢吃这种生的东西，回头让你师娘炒鸡蛋吃吧。”朱有德笑起来。

“这也好，那我给它们择下来，就省得师娘再费神一点一点择了。”小神农说着，开始往下摘槐花瓣，“师傅，我今天爬了很高很高的树，它们长得太高了，不好摘。”

“那你还不如摘点叶子，比这不是省事多了。”朱有德也开始择起槐花来。

“摘叶子？槐叶也能吃吗？好像很苦的。”小神农不解地问。

“摘了叶子，我们就不是直接吃了，而是将它炮制成中药使用呀。”朱有德笑着说。

“原来槐叶是药呀？它有什么功效，治什么病呢？”小神农明白了师傅的用意。

“不仅槐叶是药，槐花也可以入药，只不过，槐叶摘起来更方便一些。”朱有德笑起来，“槐叶味苦，性平，归肝、胃经，《医林纂要》中说它‘泄肺逆，泻心火，清肝火，坚肾水’。”

“我明白了，就是说槐叶是清热泻火，凉血解毒的药物。”小神农很聪明，师傅一说，他马上就领会了。

“说得对，不过，你能不看槐树就讲出它长什么样子吗？”朱有德又开始考验小神农了。

“这还不简单，槐树皮灰棕色，带有不规则的纵裂，而且还有一些特别的味道，不好闻。”小神农张口就来，“它的叶子纸质，光滑，为复叶互生，叶轴带毛，基部膨大。叶片长圆形，前面尖，后面楔形，边缘带浅齿，叶脉明显。”小神农说完，便得意地看着师傅。

“还有呢？”朱有德看看手中的槐花。

“哦，您说花呀。它每年4～6月开花，花序为圆锥状顶生，花朵呈穗状，花萼如钟，带浅裂，花冠蝶形，乳白色，旗瓣带微紫色脉。花谢之后会结肉质的荚果，像串珠一样，颜色黄绿色，成熟后，里面可见1～6颗肾形的种子，深棕色。”小神农将花和果特征一次性补充完整。

“嗯，观察得很细致。只有这样才能更了解植物，更能分辨药材。”朱有德点着头肯定地说。

“师傅，我现在去摘点槐叶回来，反正就在院外，您也不用跟着我出去了。”小神农说完便去拿药筐。

“一定要小心点，不要从树上摔下来了！”朱有德看着他风风火火的样子，再三叮嘱。

“知道了，您就放心吧，师傅。”小神农说着，早已经跑出院子，一转弯人影也看不见了。

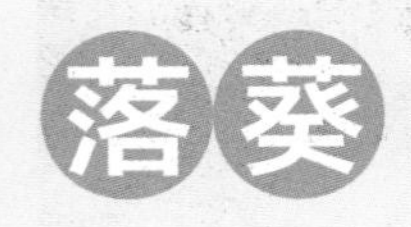

落葵——药、食、赏三管齐下的清热药

昨夜下了一场小雨，一早起来，朱有德便到后园里翻地去了。小神农打扫完卫生，也来到后园，只见师傅沿着篱笆翻了半圈。问道：“师傅，您为什么只围着篱笆翻呢？里面还有这么大的地方呀。”

“师傅为的是利用篱笆，就省去搭架子的麻烦了。”朱有德说。

“你要种的是什么呀？是不是会爬的藤？”小神农好奇地问。

“嗯，猜对了，师傅要种点落葵，前些日子你张大爷给我带来一点落葵种子，这会儿应该下种了。”朱有德笑起来。

“落葵？我从来没听说过，它长什么样子呀？”小神农一听新鲜的名字，便马上来了精神。

“因为北方少有这种植物，你当然没看到过啦。《本草纲目》中说‘落葵三月种之，嫩苗可食。五月蔓延，其叶似杏叶而肥厚软

滑，作蔬和肉皆宜’。不过我们北方天气冷，才等到天气暖一些再种。”朱有德放下锄头，坐在地边休息，翻了一上午地，真是腰酸背痛。

“可是您还没告诉我它长什么样子呢？”小神农也凑到师傅身边，越不知道答案，他就越好奇。

“落葵是一年生的缠绕草本植物，全株肉质，茎光滑无毛，颜色绿色或者淡紫色，有分枝。叶片互生，为宽卵形，前端急尖，基部心形，全缘，叶脉在下面微凹，上面则突出。它的花也很好看，为穗状花序，长2～23厘米，2个小苞片，长圆形，5个萼片，上部淡紫色，下部发白，生成管状。它没有花瓣，在萼片中长出5个雄蕊，柱头多小颗粒。”朱有德说着擦擦汗水，小神农却着急地问：“果实呢？果实长什么样？”

“果实是球形，但不大，直径5～6毫米，成熟后颜色暗紫色，里面多汁液，所以又被人们称为胭脂豆。”朱有德笑起来。

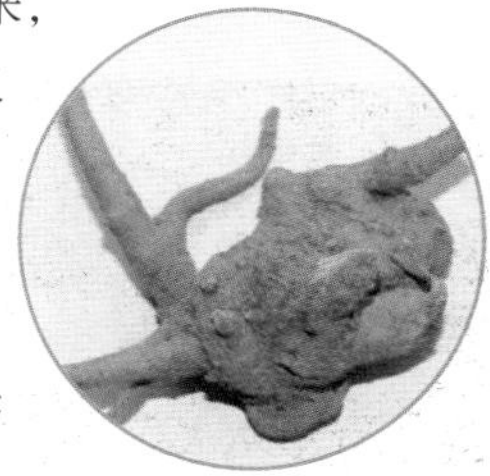

“真是神奇的植物。师傅，我想它一定很好吃。”小神农一脸向往。

“它不但很好吃，而且全株可入药，是宜食、宜药、宜观赏的多用植物。”

“还能入药啊？它有什么功效呢？”小神农简直不敢相信，在他眼里，好吃的东西都不能入药，只有难吃的才是药呢，没想到落葵却好看、好吃还入药。

“它的花、种子、叶片药性相当，其味甘、微酸，性寒，可清热解毒、凉血活血、润泽人面。”朱有德说着，又站起来准备接着干活。

“师傅，这落葵太神奇了。我来帮你翻地吧，我都等不及要看它长出来了。”小神农说着，一下跳起来，扬着锄头用力地翻起地来。

木槿花——朝开暮落除诸热

在通往南坡的山下，长着好几棵高大的木槿，每每走过，朱有德都会仰头看一会儿。小神农就觉得好奇，不明白师傅为什么总是要看这几棵树。这天，他们又从树下经过，朱有德也同样仰头看树，小神农便忍不住问："师傅，您为什么每次总要看这几棵树呢？是在寻找什么吗？"

"不找什么，这是木槿树，师傅在观察它的生长情况，等到花开时好及时采摘。"朱有德笑着说。

"师傅，您是特别喜欢木槿花吗？"小神农心想，师傅平时不管看到什么样的花，可从来都没这么关心过的。

“那倒不是，因为木槿花可以入药呀。只是，不能等到它完全盛开再采摘，要在半开的情况下采摘，晒干后就可以使用了。”朱有德站在树下，详细地给小神农讲解木槿花，“《本草纲目》又称它为‘朝开暮落花’，因为它早上开，晚上落，花只开一天。所以我要每天上山前观察，不然等到下山时就来不及了。”

“原来这样子呀，我还从来没注意过呢。”小神农这才仔细看那几棵木槿树，树皮灰白色，光滑有纵纹，小枝上有茸毛，叶子是互生的，叶柄很长，带着柔毛，叶片呈三角状卵形，有开裂，边缘不齐。

“师傅，它的花是不是有好多层，而且是粉红色的？”小神农印象中看到过木槿开花。

“它的花瓣是倒卵形的，多种颜色，比如黄色的、紫色的、白色的。花一般生于枝端叶腋间，花萼钟形，黄绿色，带5个三角形开裂，花萼、苞片和花柄都有细毛。花瓣为5片，也有多瓣的，基部与雄蕊合生，带有细毛，花朵或单或重叠生长，气味清香。”朱有德一边说着木槿花的样子，一边用手遮在额头上，再三看木槿树。

“它会结果吗？”小神农也学着师傅的样子，认真望着木槿树。

“会的。花谢之后，会长卵圆形的蒴果，外表带有黄色星状柔毛，里面生肾形的种子，其背部也有柔毛。现在还太早，等到它种子长出来，你可以细细观察，很有意思。”朱有德说完准备往山上走了。

“那它的花有什么功效呢？”小神农追在后面，还在问。

“它的花味苦、甘，性微寒，可以清热凉血、除燥止咳，《本草汇言》中说它可除诸热，利能导积滞。”朱有德回头对徒弟说。

“师傅，我记下了。以后再上山我来帮您看吧，我比您眼睛好使呢。”小神农像个小大人一样，说得非常认真。

“好，小神农知道心疼师傅了。”朱有德满意地点着头，呵呵笑起来。

——泻火解毒马蓝根

这天早上，小神农站在院子里等师傅出门，可朱有德就是不慌不忙，一会儿喂鸟，一会儿给花浇水，小神农急得团团转。

“师傅，太阳都很高了，今天不上山了吗？”

“今天不上山，在家休息，一会要来客人呢。”朱有德故作神秘，说完就直接回房间去了。

小神农只好失望地将药筐摘下来，无精打采地回药堂去。就在他坐立不安的时候，就听到一阵熟悉的笑声，然后一个洪亮的声音响起：“小神农，好久不见了，有没有想我呀？”

“张大爷！”小神农一下来了精神，连忙迎出门去。果然是张大爷带着一小车子的草药，正准备从侧门进后院呢。

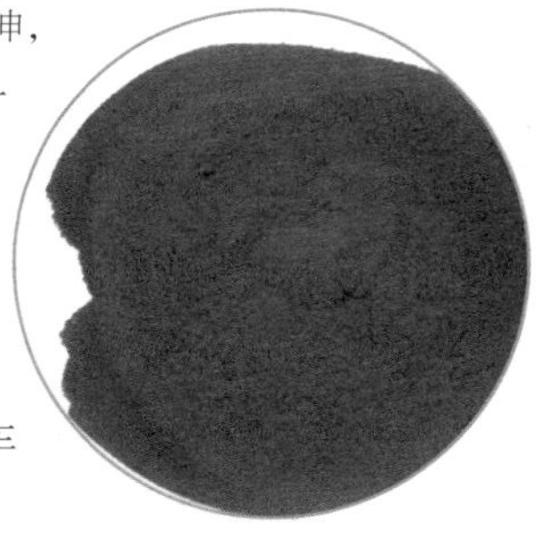

“张大爷，您怎么来了，我师傅说有客人，难道说的就是您？”小神农一边问着一边帮张大爷将小车子推到院中去。

“怎么，我来了你不高兴？”张大爷放下小车子，伸伸腰，又看看小神农，“不错，又壮实了。”

正说着，朱有德早从房间里端着茶走了出来，说：“小神农现在可不希望你来，嫌你耽误他上山采药呢。”

“不是吧，小神农？张大爷的药你在山上可采不到呢。”张大爷坐在石凳上，喝了口茶说道。

“那也不一定。您这次带了什么药来，我先看看。”小神农不服气地说。

张大爷不说话，从小车的布袋里摸出一个大布包，打开布包，里面还有油纸包着，足足包了三层。完全打开之后，小神农才看到里面是一些灰蓝色的粉末，很细，黏在纸上，闻一下有草腥味，还微微有些发酸。

“张大爷，这是什么东西？不是花也不是果实，更不是根茎，它能入药吗？”小神农还是第一次看到这样的东西，一头雾水。

“这是青黛呀，你连它都不认识？《本草经疏》没看过吗？里面说‘青黛，解毒除热，固其所长，古方多有用之于诸血证者，使非血分实热，而病生于阴虚内热，阳无所附，火气因虚上炎，发为吐衄咯唾等证，用之非宜’。你是怎么回事，这么长时间光上山玩了吧？”

张大爷居然也能引经据典，让小神农格外诧异。

“师傅，张大爷说的是真的吗？这青黛是石头粉末吗？”小神农只好求救于朱有德了。

“是真的。不过，这不是石头粉末，是从植物中提取出来的，一般马蓝、木蓝、蓼蓝、靛青叶、蓝靛叶及其他靛叶类植物，都可以提取出青黛来的。”朱有德看着那些青黛，显然很喜欢。

“哎呀，这么多种树，我怎么记呀？我都不知道它们长成什么样呢。”小神农着急地说。

“马蓝一般与其他植物不太一样，它是多年生的草本植物，其他各类则是一年生。不过这些植物都不会很高，基本在30～80厘米。马蓝根茎粗，断面呈蓝色，其他品种则没有它这么粗壮。不过叶子都相似，为互生的卵状椭圆形，马蓝叶边缘有齿，其他品种则为全缘。”朱有德只能捡主要的不同点给小神农分析，“马蓝叶中多带褐色柔毛，花是淡紫色的，结匙形蒴果；而木蓝则叶带蓝色，结线状荚果；蓼蓝叶子两面均蓝绿色，果实为三棱形的瘦果；剩下的品种其叶蓝绿色，干后暗蓝色，开红色小花，结三棱形瘦果。”

“师傅，这些树我们这边有没有啊，我得看一下才能更清楚一些。”小神农这下犯愁了，怎么这么多种植物都可以炮制青黛出来呢?

“这可就难了。这些植物多生在福建、河南、安徽等地，这边偏偏没有，所以我才说我带的药你在山上找不到嘛。”张大爷幸灾乐祸地说。

“你不用都记住这些植物，只要记住青黛的样子就好了。对了，还要知道它是清热解毒、凉血泻火的药哦。”朱有德看小神农着急的样子，不由得笑起来。

——咽肿发热的鳞毛蕨

张大爷每次带来的药，都会让小神农大开眼界。当他还没有在青黛的迷惑中恢复过来的时候，张大爷早拿出另外一种药材：贯众。

“小神农，这个虽然是根茎，不过，我猜你也没有见过。”张大爷笑着说。

“我来看看，没准会认识呢。”小神农自认为已经认识不少药材，所以很有信心。但是，他看到这种根茎长圆柱状，还有的四方柱形，上端粗，下端尖，颜色红棕，断面有黄白色的分体中柱多个，呈“品”字形排列，其外围皮韧性，中部有木质。

“这个是……是……”小神农一下傻眼了，他从来没看到过这种植物的根茎，怎么能知道它的出处呢？

朱有德在一边看着小神农抓耳挠腮的样子，禁不住笑出声：“不要想了，这是南方的植物品种，为粗茎鳞毛蕨科植物的根茎，叫贯众。”

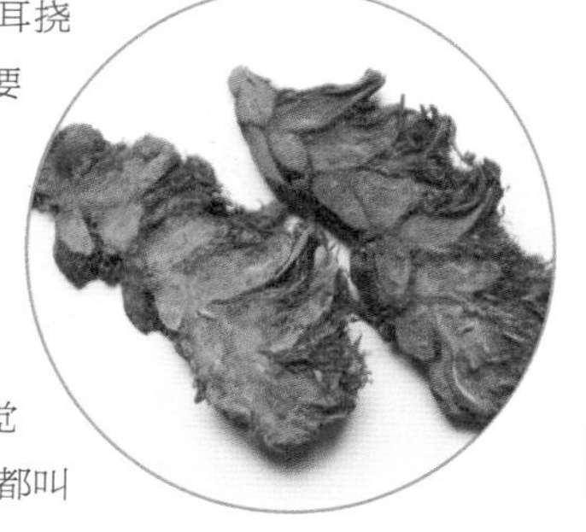

“贯众？这是什么名字呀，师傅，您快给我讲讲。”小神农感觉今天真丢脸，连着两种药材，自己都叫

不上名字，更不要说了解了。

“贯众植株不高，根茎横生，上端钝，下端尖，如同鸟喙，为棕褐色。它的叶柄残基为扁圆形，弯曲的，表面粗糙，内侧平坦，带有浅槽。它的叶子很厚，是披针形，前端尖，后端圆形，三回羽裂，可分8～12对羽片，为互生状。不过，它不会开花，是以孢子囊群传播的。孢子囊群长在叶小脉的前端，呈褐色的肾形，边缘比较薄，向上反折生长。”朱有德将贯众的特征讲给小神农听。

“怎么还有这么奇怪的植物呢？师傅，我现在知道为什么李时珍要到处行走，寻找草药了。原来不同的地方，总是藏着各种不同的草药呢。”小神农非常认真地说。

“对，小神农，你以后不要和你师傅上山了，和我出门收药吧，这样认识得更多。”张大爷开着玩笑。

“我才不去，等师傅老了，我还得帮他守药堂呢。”小神农虽然向往外面的世界，但却更知道责任。

朱有德听了这话，打心眼里高兴，说："不要听你张大爷的，草药不一定非得出门才认识，在家也能都认出来呀。这个贯众其实就是有清热解毒的功效，它味苦、辛，性寒，归肺经，一般用于治疗头痛、咽肿、口干、发热等症。"

"师傅，我想起来了。《本草正义》中说'粗茎鳞毛蕨，苦寒沉降之质，故主邪热而能上血，并治血痢下血，甚有捷效，皆苦以燥湿、寒以泄热之功也'，这不就是说的贯众吗？"小神农忽然想起自己读过的医书，里面可是说过粗茎鳞毛蕨的。

"对，这就是贯众的功效了。不过，小神农，你要记住，除了贯众是粗茎鳞毛蕨类植物之外，紫萁、狗脊也与它同类，它们的功效是差不多的。"朱有德说。

"师傅，我记住了。"小神农这下总算感觉找回点面子来，脸上露出了满足的笑容。

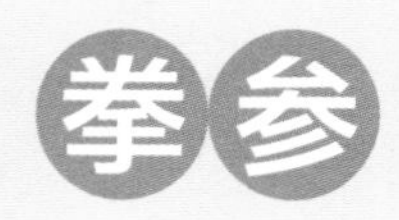

拳参——泄热理湿草河车

天气晴好，小神农在山上一块比较平坦的地方追着蝴蝶玩耍。朱有德坐在一块大石头上休息，同时，他还在左右观察地形。看了一会儿，他忽然站起来朝大石头的左侧走过去。小神农在后面问：“师傅，您要去哪里？”

“我就在这边看看。”朱有德说着，早走进了野草丛中去。然后仔细看了一会儿，才又叫：“小神农，快来，这里有拳参呢。”

“拳参？”小神农立刻跑了过去，“师傅，什么是拳参呀？”

“拳参又名紫参，或者草河车。成药为圆柱形根茎，不切开的时候，它如同虾状，但表面紫褐色，而且相对粗糙，有密环节和根痕。

根茎的一侧隆起，另一面下陷，断面近肾形。它表面浅棕，内里则有黄白色维管束细点，不规则排列。”朱有德先给小神农讲了成药的样子。

“哦，我想起来了，前几天您给一位患者开过这味药。”小神农记忆力果然不错，师傅一说样子，他就想起来了。

“对，那是它的成药，这里长的就是它新鲜时的样子了。”朱有德指着地上那株直立生长的植物说。

“这就是拳参呀，原来它长成这样。”小神农细细地观察拳参的特点：它的茎单一，无毛，叶片革质，呈披针形，前端尖，后端心形，沿着叶柄向下延续，成翅状，边缘向外卷曲。拳参已经长出了穗状花序，圆柱形的，小花苞密集生长，是卵形的，带着膜质。花梗很细，颜色淡红色。开放的小花为5个花被，裂成椭圆状，花柱3个，花朵粉中带白。

“师傅，这些花谢了，会长果实吗？”小神农问。

“当然会呀，它的果实是三棱状椭圆形的瘦果，颜色红棕色，光亮，被包在宿存花被内，要到9～11月才能成熟呢。”

“师傅，拳参的功效也是清热解毒，是不是？”小神农又问。

“对，拳参味苦，性凉，归肺、肝、大肠经，清热解毒，理湿消肿，对于热泻、赤痢、咳嗽、痈肿、口舌生疮等都非常有效。”朱有德说着，站起身来，准备离开。

“师傅，我们不采一些回家吗？”小神农着急地问。

“现在还不行，要到秋天长成熟了再挖。”朱有德只是让小神农认识一下拳参，只要他掌握了，目的也就达到了。所以，他带着小神农返回山坡，又去找其他草药了。

锦灯笼

——全草清热利咽的灯笼草

虽然朱有德并不提倡小神农每次上山都要找野果子吃，但有时遇到可食的，他还是会提醒小神农。他知道，十几岁的孩子消化功能好，食欲强大，而且一整天在山上跑，如果不让他吃点东西，是不利于成长的。

这天走到半山腰时，小神农便又开始四处寻觅野果子了，一边找还一边说："师傅，我真的不想吃，可是肚子总咕咕叫个不停，好像要和我打架似的。"

朱有德被小神农的话逗笑了，说："下次出门，就要给你带点干粮，省得你总是饿。"

正说着，他看到路边一株心形叶的植物，然后绕着那棵植物转了一圈，摇着头说："真是可惜，还没到果实成熟的季节，不然倒是可以让你好好吃一顿了。"

"师傅，这是什么植物呀？也会长果子吗？"小神农一听，就立刻跑上前来看。

"对，这是一种多年生的草本植物，叫锦灯笼，也叫金姑娘。它结出来的果实如同一个小灯笼，表面有明显的5条棱，棱间还有细脉纹，到顶端变尖，分成5个微裂，基部平截，成熟后颜色橙红色，内有一个球形的压扁状果实，上面虽然有点皱缩，里面还有种子，但味道却酸甜美味，口感还不错。"朱有德饶有兴味地给小神农讲解，想当年，自己也很喜欢吃这种野果呢。

"锦灯笼，这个名字可真好听。师傅，它的果实什么时候成熟

呀，我看现在才开花呢。”小神农一边说，一边认真观察起锦灯笼来。只见全株植物并不高，只高25～60厘米，茎表及分枝上面都有柔毛，且分枝很多，叶片互生，呈心形状，但边缘有齿状缺口。那些花也是单生的，在叶腋间开放，花萼如钟状，分成5裂，花冠也如钟状，颜色淡黄色，带5裂，基部有紫色的斑纹，是一朵很秀气的小花。

“要等到秋天才行，现在急不得。《唐本草》中说‘灯笼草，所在有之。八月采。枝干高三四尺，有花，红色，状若灯笼，内有子，红色可爱。根、茎、花、叶并入药用’，这说的就是它了。”朱有德说完就想继续往前走，小神农却迈不开步了。

“师傅，它还可以入药啊？”小神农紧盯着锦灯笼，眼也不眨。

“对呀，锦灯笼味酸，性凉，归肝经，用来清热解毒、利咽化痰都很不错，而且，它还能疏肝利尿，所以小便不利也可以用它治疗，是一种多效的中药呢。”朱有德摇了摇头，笑着说。

“那我们现在别采花，只采一些叶子吧，这样也不浪费呀。”小神农可不愿看到药材被白白错过。

“还是算了，现在药草那么多，为什么一定要采它呢？等到它结了果实再来采挖也不迟。”朱有德笑了。

“好吧，我还是先去找几颗野果子吃吃吧，肚子叫得更厉害了。”小神农说完，便继续往小树林间寻找野果子去了。

木蝴蝶——可为咽喉清热止痛的中药

刚刚吃过早饭，朱有德便对小神农说：“小神农，今天不能上山，师傅一会儿要去李庄出诊，你在家就好好看着药堂。”

“哎，师傅，您放心吧，我会看好的。”小神农说完就到药堂去了。

小神农没想到，自己前脚进了药堂，后脚就来人买药了。来者是位老婆婆，手里拿着一张方子，对小神农说：“麻烦小哥帮我配几味药。”说着，把那张方子递给小神农。

小神农打开药方，一眼就看到方中有一味木蝴蝶。这是味什么药呢？自己到现在还没有听说过呢。他看看老婆婆也不像弄错的样子，便说：“老婆婆，您稍等一下，我去给您拿药。”说着，他便飞快地

朝后院跑，想赶在师傅出门之前问明白。

“师傅，咱们药堂有木蝴蝶吗？什么是木蝴蝶呀？”朱有德正准备出门，便见小神农急忙慌地跑了进来。

“有木蝴蝶呀，就药堂第七排抽屉的最上面。平时用得少，所以你不知道。”朱有德告诉小神农，并拿起那方子看了看，一边和小神农往药堂走，一边说，“这张方应该是南方大夫开的，所以用的都是那边特有的药材。”

“木蝴蝶也是南方特有的吗？”小神农问。

“对，木蝴蝶是一种大乔木，可高7～12米，树皮非常厚，还带有皮孔，特别是小枝上的皮孔，突出明显。”朱有德说着，取了木蝴蝶出来，给老婆婆包好，送她出去。

“那它的叶子长什么样呢？它既然叫木蝴蝶，那一定有像蝴蝶的地方吧？”小神农的好奇心又来了。

“分析得不错，它的叶子是对生的，大叶片为2～4回羽状复叶，于茎顶生长，小叶是三角形的，前端尖，基部宽而偏斜，叶片晒干有些蓝色。它一般7～10月开花，花序为聚伞状顶生，花萼钟状，是紫色的，花冠是橙红色，带有肉质，前端5个浅裂，裂片大小不一。花丝包有柔毛，花盘肉质，花柱5～7厘米长，柱头分2裂。”朱有德仔细说着木蝴蝶的样子。

“哦，就是因为花朵鲜艳，所以它才有这个名字的吧？”小神农似有所悟。

“也不完全正确，它的名字来自于它种子的外形。木蝴蝶花落之后，会结出披针形的蒴果，为木质，前面尖，后面楔形，边缘还有突出的背缝，成熟后变成棕黄色，背缝自然裂开，里面的种子扁圆，边缘带白色的膜翅，如同一只白色的蝴蝶，所以才被人们叫做木

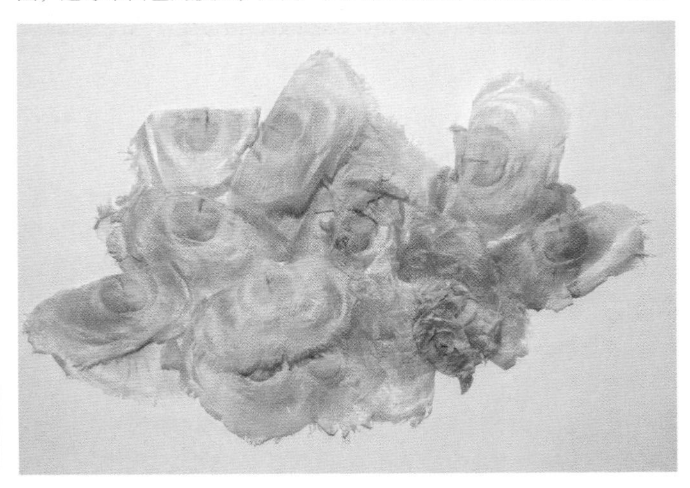

蝴蝶。”朱有德解释道。

“原来是这样呀，我还以为是花的原因。那木蝴蝶有什么功效呢？”小神农又问。

“木蝴蝶是味多效药，不但和胃、润肺，还能止咳。因为它味甘、苦，性微寒，归肺、肝、胃经，能清热、凉血、消肿、解毒，起到养阴生津之功效。所以，很多咽喉肿疼、上火、咳嗽等症都会用它。”

“师傅，我们家到底还有多少我不知道的药呀，我居然不知道药堂还有这味木蝴蝶呢。”小神农的好学就体现在他这种好奇心上。

“应该还有很多种吧。今天来不及了，回头有时间师傅找出来给你看，现在我真的要出诊了。”朱有德说完，便背起药箱，急匆匆地出门去了。

银柴胡
——退热凉血的草药

“师傅，这边有好多酸枣，您快来采一些吧。”朱有德正坐在山坡边休息，就听小神农在坡下大叫。

“只有酸枣吗？会不会还有什么别的宝贝，你却没有发现呢？”朱有德慢悠悠地走过来，以他的经验，与酸枣伴生的，总会有其他药材。

“这倒没看见，这么多酸枣已经把我吓倒了，以前怎么没发现呢？”小神农看着那些小酸枣，正准备下手。

“可是这些酸枣还没有熟呢，你摘了准备怎么用呀？”朱有德看

酸枣还是青的，便问小神农。

“这个……可是，可是现在不采，等到红了就来不及了呀，会被别人采走的。”小神农着急起来。

“那也不能随便采呀，不然就是浪费资源了，知道吗？”朱有德说着，绕着酸枣树转了一圈，又说：“你看，这么好的宝贝你都没发现吧？”

“是什么，师傅？您是说这些野草吗？”小神农见酸枣树旁有一些开着白色小花的植物。

“这可不是野草，它叫银柴胡。《本经逢原》中说，其性味与石斛不甚相远，不独清热，兼能凉血，所以，它可是清热解毒，凉血除积疳的好东西。”朱有德看看那些银柴胡，满意地点着头，“长得可真好。”

小神农不由得也仔细地观察起银柴胡来。只见它植株高20～40厘米的样子，茎直立生长，带有明显结节，上部分叉，有腺毛和粗短毛覆盖。叶子是对生的，无叶柄，为披针形，前面尖，后面圆，全缘状。那些小花是白色的，单生于花梗上，花萼5片，绿色的，外面有腺毛，边缘还有膜质，花瓣虽然也是5个，但比萼片要短。

“师傅，银柴胡是采种子还是采叶子呀？”小神农看了半天都没有找到种子。

“银柴胡是多年生的草本植物，6～7月开花，8～9月结果，果实近球形，顶端带有6个齿裂，但并不独取它入药。等到秋天，我们可以连根挖起，茎、叶子以及根，可全部入药。”朱有德说。

“我想，我应该看到过银柴胡的成药吧？它的根是圆形的，上面有很多小疣状的凸起物，药材表面黄棕色，带有扭曲的纵纹和支根痕，可见圆形小孔。它的断面还带着棕色花纹，比较粗糙，一折就断，但木中部有放射状的花纹，是不是？”小神农一边回想一边说。

“对，说得非常好，可见你平时抓药的时候很用心啊。”朱有德由衷地夸奖小神农，这个孩子确实是个有心的人。

“可是现在还没到秋天，酸枣不能摘，银柴胡也不能挖，这不是白发现了吗？”小神农并没有感到高兴，看着那么多药材不能采，他沮丧极了。

“没关系，我们可以等到入秋之后早点过来，它们不可能都被人采走的。”朱有德安慰着小神农，并拉着他的小手，朝山上走去。

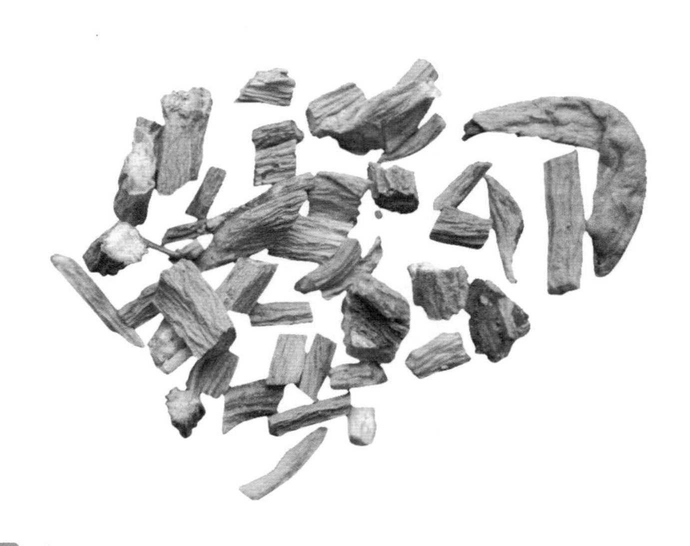

地骨皮——降火除蒸根卷皮

今天阳光不错，朱有德准备把需要晾晒的药拿出来通通风。不过，他一边晒着药材，也没忘记考小神农。只见他拿起一截短小的筒状卷片根皮，问小神农："小神农，这是什么药材呀？"

小神农拿过那段根皮仔细看，外表是棕黄色的，比较平滑，有细纵纹，内层灰白色，断面还不平，闻一下有点臭。用手轻轻一掰就断开来了，但里面没什么杂质，肉挺厚。

"师傅，这是地骨皮吧？我记得前段时间您给患者开方时，就用过这味药。"小神农果然聪明，一下就想来了。

"说的倒是没错，但地骨皮的功效是什么呢？"朱有德又问。

“地骨皮味甘，性寒，是清热凉血，降火除蒸的药物，专门用来治疗骨蒸盗汗、阴虚潮热、肺热咳嗽、内热消渴等症。”小神农答得非常流利。

“嗯，不错。不过你知道地骨皮的植物形态特征吗？”朱有德有点不难住小神农不肯罢休的意思。

“植物形态特征？我还不知道它是什么树的皮呢，师傅您也没有告诉过我呀。”小神农这下着急了，后悔自己当时为什么没问问师傅它是什么植物的皮。

“我可以提醒你一下，这种植物是多分枝的灌木，可以长1米左右高，枝条比较细，呈弯曲下垂状生长，表皮是灰色的，有纵条纹，并生棘刺，多生在小枝顶端。”朱有德笑着说。

“它的叶子长什么样呢？”小神农想不出来。

“叶子比较薄，纸质，单叶互生，为长椭圆形。它每年夏天开花，花单生或者双生，开于叶腋，与叶簇生。带小花梗，花萼常有3～5个齿裂，裂片边有缘毛，花冠如同漏斗，颜色是淡紫色的，顶端开5裂，裂片卵形，平展向外反曲，也带有缘毛，它的柱头是绿色的。”朱有德看着小神农，他似乎还没猜出来。

“你还没猜出来？再说可就都说完了。”朱有德卖起了关子。

“师傅，您就说说它的果实嘛，一说果实我就想起来了。”小神农真的想不出是什么植物，所以要起赖来。

“好吧，我只能都告诉你了，它的果实初生是绿色的，慢慢变

红，为浆果，卵状，直径可长5～8毫米，里面有肾形的白色种子，可以鲜食也可以干食，其味甘、涩……”

“哦，我想到了，是枸杞！”小神农这才拍着头大叫起来。

“你可真行啊，明明是考你的，最后成了考我自己了。”朱有德不满地说。

“不是的，我之前虽然想到了枸杞，但我觉得枸杞子才是入药的，没想到它的根皮也可入药。”小神农不好意思地说。

“每天让你看书还不肯，《本草纲目》中不是说过‘枸杞之滋益不独子，而根亦不止于退热而已’这句话吗？你如果能够背诵全书，怎么会想不到呢？”朱有德趁机教育小神农。

“师傅，我知道了，我下次再也不偷懒了。”小神农说着低下了头，并在心里暗下决心：以后非要好好读医书不可！

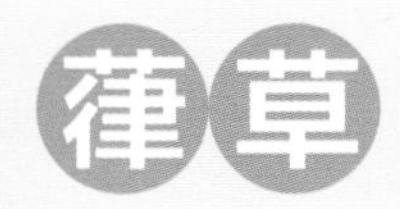

葎草——长刺的清热利水药

在山坡下的小树林里长着很多绿色的植物，它们攀缘着小树生长，旁边的野草往往因为它们的缠绕而死去。所以，这种绿色植物经常独占一片地盘，长得格外茂盛。

“师傅，这样的植物一点也不好，不但不能与其他植物相融，还长着刺，手一碰就会划到皮肤，可疼呢。”小神农已经被划过好几次了，所以十分不喜欢这种植物。

“可是，你知道它是什么植物吗？说起来，它的药性也不错呢。”朱有德似乎并不讨厌这种植物。

“它也能入药？这是什么植物呀，师傅？”小神农没想到，这么没趣的植物居然也是药。

“它叫葎草，人们又叫它勒草，或者割人藤。《唐本草》中说‘葎草叶似草麻面小薄，蔓生，有细刺，古方亦时用之’，所以说它就是一种中药，只是长得不讨人喜欢罢了。”朱有德站在坡上，看着那片葎草说。

“怎么会这样呢？那我倒要好好观察一下它的样子了，不然，以后被人问起葎草是什么样，我都不知道说什么了。”小神农小心地走近那片葎草，看到它的茎交叉群生，上面都是细倒钩，幼枝表面还带有微红的颜色。不过，它的叶子很有特点，是大片的掌状，分3～7

裂，裂片披针形，基部呈心形，叶片下面带黄色的小油点，还有粗刚毛，叶片上也有刚毛，边缘带小齿。

“师傅，它的花苞上也有刺呢。”小神农看了半天，这才发现，葎草的花序长成黄绿色，花朵非常小，腋生于叶间，雌雄异株。它的苞片是紫褐色中带点绿，背面带刺，花萼也分成5裂。

“对，全身长刺就是葎草的特点。不过，它的果实没有刺，是如同松球状的瘦果，单个则呈现为扁球状。”朱有德说。

“这样满身是刺的药，能有什么功效呢？”小神农奇怪了，这样的药他还真不知道如何使用。

“到秋天时，可以将它连根挖起，晒好之后切段，就可以使用了。它不但可以治疗发热、感冒、痢疾，还能治疗小便不利、湿疹等

症，是集清热解毒、利尿消肿于一体的多效药。”朱有德说得十分肯定。

“可是我们为什么从来也不采挖它呢？它好像很常见呢。”小神农倒奇怪起来了，这么好的药，师傅一次也没采过。

“我是怕你扯坏了衣服，到时还要给你缝新衣服。而且，葎草带有微毒，手被割破总会红肿，我可不希望你的手总被它割到。”朱有德说着，扭头向山上走去。小神农却笑起来，师傅不愿采葎草最好了，因为他心里也不喜欢呢。

扶桑叶——清热利湿两不误

朱有德所住的小镇虽然不是很大，但位于交通要塞，所以来来往往的各地商人很多。这天，小神农正一个人在药堂看着，就进来一个穿着灰麻料衣服，头上扎着灰头带的男人。他看看药堂没有大人，便用南方口音问：“你们老板在不在？”

“您有什么事吗？”小神农看这个男人个子不高，脸膛黑黑的，穿着打扮也不像本地人，就猜想是过路的商人。

“我想找你们老板谈点生意，帮我叫一下可以吗？”那人很谦逊。小神农想了想，便去后院把师傅叫了出来。

“老板呀，我们走到贵地，不想盘缠被人偷了去，所以就想出售一点药材，不知你是不是需要呢？”那人说了自己的处境，朱有德很是同情，便问：“你有什么药材？让我看看吧。”

那人马上出去，一会儿工夫就扛来了两个大布袋，说：“我们是要运扶桑叶到省城的，你只要收两袋就够我们的路费了。”

朱有德看看那些叶子，其状完整，颜色黄绿色，上面的脉络清晰，是上好的药材，二话不说将两大袋扶桑叶都留了下来。那个人千恩万谢，才拿着钱出了药堂。

“师傅，您要这么多扶桑叶干吗？”小神农不理解，这么多的量，什么时候才用得完啊。

“扶桑叶味甘，性平，归心、肝经，不但清热解毒，而且利湿利水，是很好的中药。但我们这边没有朱槿树，所以，这样完整高品质的扶桑叶很难得呢。”朱有德笑着说。

“扶桑叶是长在朱槿树上的吗？朱槿又长成什么样呢？”小神农好奇起来，他以为扶桑叶就是扶桑树的叶子，没想到叶子与树却不叫一样的名字。

“对，扶桑叶是朱槿的叶子，朱槿为常绿灌木，可长1～3米高，其干灰白，圆柱形。它的小枝带有星状柔毛，叶片互生，叶柄长5～20厘米，带有柔毛。叶片就是这样的阔卵形，前面尖，后面圆形，边缘有齿，而且带明显的叶脉。”朱有德拿起一片扶桑叶给小神农看。

“师傅，朱槿什么时候开花？长成什么样？”小神农对没见过的植物，总是想要了解得详细一些。

“朱槿是一年四季都会开花的，它的花单生于树上部的叶间，花梗不长，带着柔毛。有6～7片小苞片，为线形，也有星状柔毛。其基部合生，花萼钟形，长星状柔毛。花冠为漏斗形，裂成5片，前面圆，基部包有柔毛，可长成红色、黄色、玫瑰红色等，是很好看的一种植物呢。”朱有德说得很仔细，让小神农向往不已。

“师傅，这么好的树，如果能长在我们这里就好了，又能看花又能入药，多方便啊。”

“哈哈，你说得倒不错，只不过所有的植物都有它适应的环境，这可强求不得。快帮师傅把这些药抬到后面药库去。”朱有德说着，和小神农将那大袋扶桑叶抬去了药库。

苍耳根
——祛风解毒的“小刺猬”

最近天气炎热，特别是中午，山上也一样热得透不过气来。朱有德说：“小神农，我们必须要休息一下，睡会儿午觉，不然，下午会没有精力的。”

“好吧，我也累死了。”小神农一屁股坐了下来。没想到，身后有几棵苍耳，它结的种子带有小刺，黏了好几颗在小神农的头发上。

“哎哟，我们不应该坐在这里的，都是苍耳，师傅，快帮我把这些小刺猬摘下来。”小神农说着，将头低到朱有德的面前。

“这些小苍耳真有意思，自我保护意识非常高呢。”朱有德笑着说。

“它们一点也不好玩，我又没想伤害它们，干嘛要黏在我头发上呀。”小神农不高兴地说。

“既然是它们先‘冒犯’了你，我们休息够了就挖一些根出来，这样也算扯平，怎么样？”朱有德顺着小神农说。

“挖它们的根有什么用啊？还不如去采点药材呢。”小神农嫌弃地往边上躲一躲。

“你可不知道，苍耳根是一味中药，而且效果还很强大呢。”朱有德坐在那里，给小神农讲起苍耳根来，“苍耳根味苦、辛，性寒，归肺经，可清热解毒，利湿除肿。《天宝本草》说它‘祛风解毒，治肚大青筋，皮肤瘙痒，风湿症’，你说它有没有用啊？”

“这是真的吗？没想到这么讨人厌的植物还可以入药。”小神农马上趴到苍耳跟前去，“我仔细看看它的样子，看来我错怪它了。”

“苍耳很好认，它是一年生的草本植物，可以长1米高，茎直立，很少分枝，上面带纵沟，并有灰白的糙毛。叶子互生，有长柄，叶片三角状，如同卵形，是全缘的，上面的叶脉并不明显，可见三脉由基部长出，叶片下面带有白伏毛。”朱有德怕小神农马虎，特别讲给他听。

“师傅，这棵苍耳刚开花，花序是聚生的，而且雌雄花异株。雄花序像个球形，花苞1列，花朵很小，管状，前端分5裂。雌花序却是卵形的，花苞有2～3列，2朵小花同开，没有花冠。”小神农也像师傅一样，细细讲述苍耳花的外形。

“我觉得你有必要观察一下它的种子。”朱有德笑起来。

“这个我了解。它是坚硬的瘦果，椭圆形，尖端带细小的长喙，表面有倒钩刺，初生是绿色的，倒刺柔软，成熟后就变成淡黄色，刺

也变硬了。”小神农不知观察了多少次它的种子呢，当然清楚得很，“不过，我们应该观察它的根是什么样才对吧？”

“它的根很简单，是纺锤形的，表面黄白色，有须根。好了，睡一会儿吧，凉快了我们再挖它的根仔细看。”朱有德说着，闭上了眼睛，小神农也趴在原地，很快就进入了梦乡。

楮树根
——会流乳汁的解毒散瘀药

“师傅，我看池塘边那几棵楮树长得不错，杆又直又结实，我们不如把它砍回来做药架吧？”小神农今天去池塘边拎水时，看到那几棵楮树长得真旺盛，所以回来就和师傅提议。

“这个季节它正长着呢，我们不如等到秋天时再砍，顺便也好挖点根回来。”朱有德思考了一下，说道。

“挖楮树根做什么？是要入药吗？”小神农不理解，便追问着原因。

“是呀，楮树根味甘，性微寒，用于清热解毒，散瘀利湿，是非常好的药物。既然我们都把杆砍了，就没理由把好东西留在地下了不是吗？”朱有德笑起来。

“那是当然，那我们就秋天再去砍好了。”小神农点着头说。

“你刚刚看到了楮树，就给我讲讲楮树的特征吧。”朱有德见缝插针，总不忘提醒小神农识记药材。

“这也太容易了，师傅，您就是小瞧我嘛。”小神农抗议着。

“先不要说我小瞧你，说得完全正确才能说明我是错的呢。”朱有德笑着，似乎认定了小神农会说错一样。

“楮树是落叶乔木，可以长很高，它小枝粗壮，上面生有茸毛，不过两年生的老枝则光滑、结实。楮树的叶子是单叶互生，叶柄很长，1.5～10厘米，柄上有柔毛。叶片比较薄，纸质，呈长圆状卵形，边缘带有细齿。叶面上边深绿，被面则长着粗毛，是灰绿色的。”小神农示威地看一眼朱有德，似乎在问：怎么样，我说得很正确吧？

“还有花和果呢，要都说出来。”朱有德读懂了小神农的表情，继续要求。

“它每年4～7月开花，7～9月结果。花为单性，雌雄异株，雄花序为葇荑花序，花梗不长，有2～3个小苞片，花被4裂，基部合生。雌花序苞片呈棒状，有被毛，花被管状，花柱细长，为线形，还带有黏性。花谢后会长出肉质聚花果，是球形的，成熟以后变成红色。我说得有不对的地方吗，师傅？”小神农看着师傅，小脸上满是得意。

“虽然没有错的地方，但却少说了一个特征。”朱有德脸上也带着笑，他相信，小神农已经仔细认真地观察了楮树的样子。

“哪里没有说？”小神农立刻紧张起来。

“楮树的枝内有乳汁，这个特征你没说吧？”朱有德看着小神农。只见小神农一脸的懊恼，挠着头皮，老半天才说：“哎呀，我都忘了，它的枝折断后就会有乳汁流出来。我怎么能忘了呢？”

“哈哈，已经不错了，以后再细心些，就可以让师傅完全放心了。”朱有德看着他的样子，哈哈地笑起来。

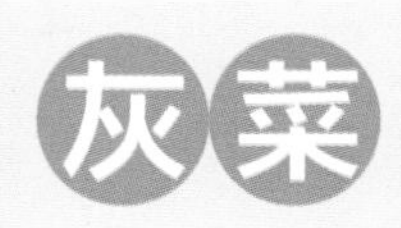

灰菜——能透疹清热的野菜

这天小神农起得早，就想到后园找点事情做。师娘早已经在干活了，她此时正沿着地边拔那些疯长的野草，将其全部丢到园外。不过，细心的小神农发现，师娘将比较嫩的灰菜放在了一起，堆在一边，似乎要准备用它做什么。

“师娘，这些灰菜有什么用吗？”小神农问。

“我看它们挺嫩的，中午择洗一下，拌来吃应该不错。”师娘笑着说。

“灰菜也能吃啊？”小神农第一次听说，因为在家时从来没有吃过。

“能吃，你师傅说的，我们之前也吃过，味道还不错呢。”师娘温和地说。

小神农一听是师傅说的，立刻就相信了。要知道，师傅认识好多好多草药，何况是这常见的灰菜呢？不过，师傅说它能吃，肯定有一定的原因。于是，小神农蹲在那堆灰菜前，细细观察起来。

灰菜有的高有的低，平时看到的都在60～120厘米高，不过，师娘拔的灰菜都是些小的。那些灰菜的根圆柱形，上粗下尖，带有须根，基部有木质。而它的茎直立生长，多有分枝，茎表有棱，带红紫相间的条纹。灰菜叶子是单叶互生的，带长叶柄，叶片披针形，边缘有齿，叶面上面深绿色，下面灰绿色，小嫩叶则带有紫色。

小神农眼睛好使，在那堆灰菜中，看到有一根还带着黄绿色的小花，他很熟悉灰菜，知道这就是灰菜花了。他知道，灰菜的花是两性生长的，花序多簇生于腋间或者顶端。花被5片，为椭圆形，边缘带膜质。而且，灰菜花谢了之后，会长小胞果，外皮很薄，里面是光亮的种子，呈双凸镜形。

就在小神农想得入神的时候，朱有德来到了他的身后，问道："小神农，你在给灰菜相面呢？"

"师傅，您吓我一跳。"小神农立刻站起来，嘻嘻地笑了。

"你在干吗呢？拿着棵灰菜出神。"朱有德看看自己的园子，一

片生机，很满足地笑了。

“听师娘说，这些灰菜能吃，所以我就仔细观察一下，看看它有什么不同。”小神农将那些灰菜抱起来，准备帮师娘拿到厨房去。

“看出有什么不同来了吗？”朱有德问。

“没有，感觉就是普通的野菜。”小神农老老实实地说。

“真没眼光，这些灰菜不但能吃，而且全草还可以入药，鲜用、干用都可以。”朱有德说着，拿了棵灰菜，放在鼻下闻起来。

“它还可以入药吗，师傅？它有什么功效呢？”小神农今天第一次知道灰菜可以食用，然后又听说可以入药，简直有些不敢相信。

“当然是真的，灰菜味甘、苦，性平，带有小毒，但其清热、解毒、祛湿、透疹功效强大，痢疾、腹泻、肿毒、疮疡等问题，都可以用它治疗。”朱有德晃着头，给小神农讲灰菜的功效，“不过，它带有小毒，吃了灰菜，不宜过晒阳光。不然，很可能会皮肤瘙痒、起疹。所以我们吃了它，今天就不能上山去采药了，要多待在室内。”

“怎么这样啊，师娘，我们还是不要吃灰菜了。”小神农一听，立刻就不高兴起来。

“没事，你们吃过饭上山，咱们晚上再拌来吃也一样的。”师娘乐呵呵地接过那些灰菜，径自回厨房去了。

过江藤——安腹解毒的藤蔓

这次，张大爷不仅给小神农带来了礼物，还给朱有德带来了几味不错的中药。每次细细打理这些少见的中药，对朱有德来说都是一种享受。所以，他总是会一味一味地细看来，然后再进行分装。

这不，刚送走张大爷，朱有德就开始整理那些草药了。他先把一个看上去并不沉重的袋子打开，里面是些已经晒干的草茎类植物，颜色黄绿色，枝叶截成小段状，看上去非常易碎。

“师傅，这是什么药？”小神农在一边看着，又开始好奇了。

“这是过江藤，又叫苦舌草或者水黄芹，我们这边基本看不到，因为它喜欢温热的气候，所以南方有很多。”朱有德拿起来几段过江

藤，放在鼻子下闻了闻，满意地点点头。

“师傅，它为什么叫过江藤，是因为它会长很长的藤，可以一直伸过江对岸去吗？”小神农觉得这名字真霸气，就开始猜测名字的由来。

“那倒不是，它只不过是以藤细长而闻名。其实，过江藤就是一种多年生的匍匐草本植物，宿根木质，多分枝，而且节上易生根，爬行生长，这让它的茎看上去很长。它的全株都会长有短毛，叶片对生，几乎没有叶柄，叶子如同匙状倒卵形，叶边中间带有锯齿，很锋利，但前端叶边缘却为圆形。”朱有德笑着说。

“原来是这样子，那它会开花吗？长成什么样？”小神农又问。

“会开花，每年6～10月是花果期。开出的花可见白色、粉色和紫色，花序腋生，呈圆柱形穗状，苞片是倒卵形的，花萼有膜，花管中间为淡黄色。花朵谢后，会在冠下生出种子，成熟后自然裂开，里面有2个小坚果。”朱有德拿出了一部分过江藤，然后将其他的都扎在口袋里。

“这些过江藤放在清热区的药盒里，小心些，它很易碎。”朱有德告诉小神农。

“是因为过江藤为清热的药材对吗？”小神农一听要放在清热区的药盒里，心中就有数了。

“对，过江藤味苦、辛，性平，不但善于清热解毒，还能散瘀消肿，用来治疗痢疾、咳嗽、咯血、痈疽疔毒、跌打损伤，都是非常好的。另外，它性平和，可适应大多数人群，很方便使用呢。”朱有德笑着说。

“好吧，虽然它的名字和它的样子并不相符，但我还是比较喜欢它的。”小神农拿起师傅整理出的过江藤，认真地将它们放进药盒中去。

草珊瑚——止痛除热的红小珠

朱有德在小神农去放药的时候，又将身边的另一个口袋打开来，里面是一些棕色的圆形茎枝，它的表面带有明显的节。朱有德将那茎枝拿起一段，仔细观察，可见纵向皮孔。再看茎枝的断面，有的有髓，有的则中空。

“这些草珊瑚的品质真不错。”朱有德点着头自语。

“师傅，您也不等我就自己看。这是什么药？好像也是草哎。”小神农急急忙忙地从药堂跑回来。

“不急，为师先过过目，还会不让你看啊。”朱有德笑起来，“这是上好的草珊瑚，又名九节花，或者九节茶，你好好看看吧。”

“草珊瑚？我很早就听说过珊瑚，据说好像是石头一样的东西，原来它们是草质的呀。”小神农马上拿起茎枝细看。

“它们可不是同一类东西，一个生活在海里，一个生活在山上，所以不能混淆的。”朱有德纠正小神农。

“师傅，这种草珊瑚是治什么病的呢？”小神农心想，只要分清了药效，也就知道它们的不同了，不必在意它生活在哪里。

“草珊瑚治的病可多了，它味苦、辛，性平，可以清热解毒、祛风除湿，更能活血通经，止痛接骨，不管是各类炎症还是风湿性关节疼痛、腰腿不适、跌打损伤，都能用它治疗。”朱有德拿着草珊瑚反复看，还闻了又闻，似乎非常喜欢。

“师傅，您很喜欢草珊瑚吗？它长得也不好看呀。”小神农有些不明白了，这不也是草嘛，和刚刚的过江藤相差不多呢。

“喜欢一种药可不能因为它长成什么样子，而应该从它的功效出发。不过，你也没看到过草珊瑚，它结的果实其实也挺好看的。”朱有德笑了，这个小徒弟，总是以貌取药。

“真的吗？师傅，您快给我说说草珊瑚长成什么样？”小神农一听说果实长得好看，一下就来了兴趣。

“草珊瑚是多年生的常绿草本植物，可以长50～120厘米高。茎是直立生长的，新鲜时全株绿色，无毛，但结节膨大，节间有明显的纵行沟纹，你看这些干的茎枝上也有。”朱有德将草珊瑚成药指给小神农看。

“还真是的，师傅，它的叶子却不厚，看着应该是单叶对生，叶柄不长，叶片光滑，是卵状的披针形，叶端边缘还有粗的锯齿。”小神农拿着那枝药，也自己分析起来。

“对，它的叶子是革质的，边缘有粗齿，齿端下还有1个腺体，托叶为鞘状，长有凸出的小齿。”朱有德帮助小神农补充。

“那它的花呢，花是什么样子？”小神农着急知道是什么样的花才会结出好看的果实来。

“它的花为雌雄同株，花序穗状，花被黄绿色，花朵极小，生于苞片的腋内。虽然花并不起眼，但花一谢就会长出核果状的浆果来，圆圆的，像小球一样，数颗聚于一起。初生时绿色，成熟后就变成鲜艳的红色。人们之所以叫它草珊瑚，就是因为它这艳红的果实颜色了。”朱有德不止一次看到过草珊瑚，所以格外清楚它的美丽。

“哇，我要是能看到就好了。师傅，我就这样想象一下也觉得很美，那样一簇红红的果实长在一起，多诱人呀。”小神农就如同看到了它的样子一般，两只大眼睛闪烁着明亮的光芒。

“好了，快把这份草珊瑚放进药盒去吧，这些就收起来了。”朱有德打断小神农的想象，自己也开始往药库里搬药材了。

景天——凉血解毒的中药

大山对于小神农来说，似乎有着巨大的诱惑。每每上山，不管多累多热，也不管多苦，他都乐在其中。有时，朱有德也在想，这个孩子是不是天生就要与山相伴的，怎么一上山，就变得异常灵动活泼呢?

现在就是这样，朱有德已经走得双腿发酸，所以坐在一边的大石头上歇着。可是，小神农却一点儿也闲不住，一会儿这边看看，一会儿又那边瞧瞧。忽然，就听他叫起来：“师傅，山沟边好像开了很多花，我去看一眼就回来。”

“山沟陡峭，你小心点儿。”朱有德不住地叮嘱着，小神农却早像只猴子一样，利落地溜下山坡去了。

溜到坡下，小神农快步走到那片花当中。花朵浅红色，也有白色的，看上去倒没远看起来那样漂亮。不过，因为开了一大片，又显得格外壮观。小神农自语：“这是什么花呀，我以前怎么没看到过？”

他一边自语一边观察花的植株外观，只见花朵的茎直立生长，绿色，高度30～70厘米，没有分枝。再看看那些叶子，是对生的，偶尔也有互生或者3叶轮生。叶片为卵状矩圆形，前端急尖，圆钝，后端变窄，边上还有粗齿。这些浅红色、白色的花就密密的生在枝顶，带有不长的花梗，5个萼片，5个花瓣，都是披针状的样子，但它的雄蕊比花瓣稍长，花药是紫色，呈鳞片矩圆状楔形。

小神农在脑子里快速地搜索与这种花有关的医书，似乎想到了什么，便快速又爬回到山坡上去，兴奋地说：“师傅，山下好像是一大片景天，我们要不要采一些呀？”

“噢？你怎么知道那就是景天呢？”朱有德也吃了一惊，自己可还没教过小神农景天的知识呢。

“我读《本草纲目》时，看到书里有一段写‘景天，人多栽于石山上。二月生苗，脆茎，微带赤黄色，高一二尺，折之有汁。叶淡绿色，光泽柔浓，状似长匙头及胡豆叶而不尖。夏开小白花，结实如连翘而小，中有黑子如粟粒’。虽然我现在还没有看到它的黑色种子，但已经看到了花朵和植株，所以我判断那就是景天。”小神农肯定地说。

“嗯，不错，我们小神农都能自己按书认知中药了。走，师傅和你去看一看。”朱有德来了兴趣，和小神农又回到坡下去看那一大片景天。

“确实不错，这真的是景天。可是，你知道景天的功效吗？”朱有德看了那些植物一眼，便确定小神农说得没错了。

“我早知道了，书中说景天味酸、苦，性平，可以祛风除湿，凉血散瘀，是清热解毒的中药，能治疗咽喉炎症、烧烫伤、去除蛇虫之毒等。而且，景天一年四季可采，鲜用的多。”小神农如同有备而来，师傅的提问一点儿都难不住他。

“好，好，可见多读书是有好处的。那我们不如就采点景天回家吧！”朱有德笑得脸上像开了一朵花，放下药筐便开始割起景天来。

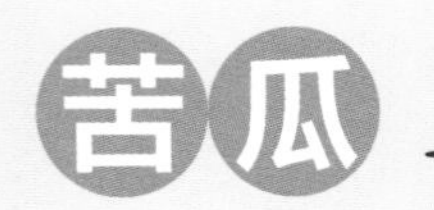

苦瓜——除热平肝似黄连

朱有德家的小园子里种的苦瓜藤终于结出苦瓜来了，他一大早就叫小神农：“小神农，快去看看苦瓜是不是可以摘了，今天中午应该能吃炒苦瓜了吧？”

小神农干脆地答应一声就往后园跑，他长这么大，还从来没有吃过苦瓜呢。他觉着这种瓜既像黄瓜，又与黄瓜不同，所以总是着急，想知道它是什么味道的。

到了后园，小神农看到那些苦瓜确实比前几天长大了不少。果实如同黄瓜一样，呈长圆柱状，但表面却有很多不规则的瘤状凸起，颜色绿中带黄。

“师傅，苦瓜这样就算成熟了吧？”小神农也不知道苦瓜要长成什么样才能吃。

“不能等到成熟，这会儿绿绿的，嫩嫩的正好吃呢。它要是成熟了，就会在顶部开裂，里面可以看到血红色的瓜瓤，瓤里包着的是它的种子，扁平的，就像龟甲一样，颜色淡黄色，上面还有花纹，但皮很厚。”朱有德一边说，一边开始采苦瓜。

“师傅，我们留两条，等它成熟之后，让我看看会是什么样子，应该很好看。”小神农一听就觉得很有趣，居然是红色的瓜瓤，还有龟甲一样的种子。

“好，会留下几条做种子的。”朱有德看看苦瓜的藤，忽然又说，“小神农，你有没有仔细观察苦瓜长成什么样呀？这可也是一味中药。”

“师傅，您怎么不早说，它有什么功效呀？”小神农一听说是药，这才立刻从头到脚地观察起苦瓜秧来。苦瓜的藤如同丝瓜，也是蔓生，茎带5棱，上面有茸毛。侧蔓比较多，而且相对较细，于腋间有花芽和卷须。它的叶子如同盾状，灰绿色的，互生，边缘开深裂，呈掌形，其叶脉为放射状。苦瓜的花是单性同株，雄花先生，再生雌花，花萼与花瓣都是5片，颜色深黄色。这会儿太阳初起，那些花开得正鲜艳呢。

“苦瓜的功效很强大，它味苦，性寒，归心、肝、脾、肺、胃经，不但能清暑解渴，还能解毒明目、祛心火。所以，苦瓜是一种药也是一种菜，在夏天食用最合时令了。”朱有德已经采了5条苦瓜，满意地往厨房走去。

“可是，师傅，吃多了会不会不好呀？它毕竟是药嘛。”小神农追问。

“对，一次不能吃太多，但天气炎热时每天食用一次没问题，这样不但能消暑，还能除烦、益气，连眼睛上火、拉肚子等问题都能解决了。”朱有德将苦瓜清洗干净，自己先切了一小块，然后浅浅地尝一口，眉头微皱，说：“不错，味道浓郁。”

小神农没想到苦瓜还可以生吃，于是他也学着师傅切了一块，一口咬下去，顿时满嘴苦涩，他张着嘴，伸着舌头，大声说：“师傅，我被您骗了！”说完，便用力地吐出嘴里的苦瓜。朱有德与妻子看着小神农痛苦的样子，不由都哈哈地笑起来。

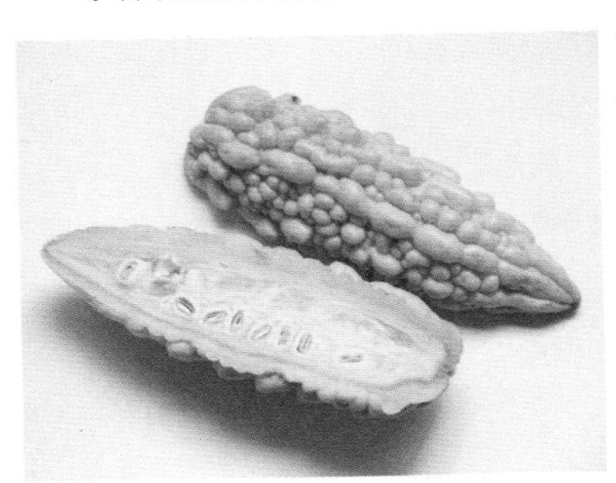

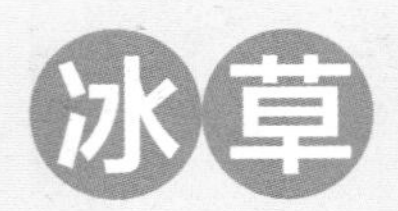

冰草——利湿清热如冰

眼看着天气越来越凉，小神农每天都追着师傅要求上山，他知道，等到天一冷下来，师傅又要把自己“困”在药堂，不让出门了。朱有德当然明白小神农的心思，所以，也乐得在秋高气爽的日子与他去山上走走。

这天，他们顺着向阳的山坡一直走了很远，却一无所获。他们往回走的时候，朱有德发现山坡沙石地上长着很多冰草，便笑起来：“原来这里藏着这么多好东西呢，总算不白走一趟。”

“师傅，您是说这些草吗？它们有什么特别的地方吗？”小神农看那些草很普通，茎秆有单生也有丛生，倒是长得挺高，高40～100厘米，秆上有3～5节。叶鞘很光滑，但小叶边缘有柔毛。叶片呈长舌

状，稍内卷，叶片上面有柔毛，下面就更粗糙了，整片叶子都不平滑。

“这是冰草，其味甘、苦，性寒，用来清热、止血、消毒、利湿，都是很不错的。一般哮喘、咳痰、鼻出血、淋症、赤白带下都可以用它治疗。”朱有德说着，已经开始采起冰草来。

“师傅，这种草怎么没有花呢？我还没看看它的花是什么样子呢。”小神农一边说着，一边到处寻找。

朱有德却笑起来：“怎么会没有花呢，你看茎顶小穗状的不就是花序吗？一个穗上会长多个小花，它们单生对长在穗轴上，颜色灰绿色，并带有柔毛。它的第1颖呈一披针形状，前芒尖，上面有不明显的3脉。它的下半部比较粗糙，边缘带有纤毛。第2颖外稃为披针形，边缘膜质，背面有5脉，没有花瓣，花药长3.5毫米左右。一般可以开到10月呢。”

“原来这就是花呀？我以为是种子呢。不过，冰草怎么长得和小麦差不多呢？”小神农拿着一枝冰草的花穗，认真看了半天才说。

“对，确实有点像。不过，冰草又叫赖草，是多年生的草本植物。你可以挖条根出来看一下，它的根是向下伸，并横走的。”朱有德说着，真的挖了冰草的根让小神农看。

“师傅，我们只要上面的草，不要根就可以吗？”小神农看师傅采收时并没有连根挖起。

“不用根，冰草一年当中夏天和秋天都可以采；只要上面的草部，回家切段、晒干，就能直接入药了。又简单，效果又好。”朱有德说完，继续采摘冰草。小神农也放下了药筐，与师傅比赛般割起冰草来。

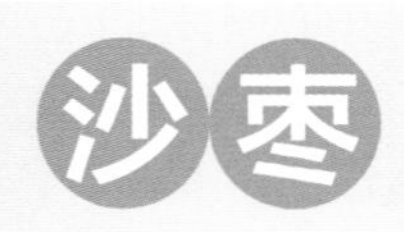

沙枣——为肠胃散热的小枣

小神农一直都知道，一入了秋，山上就可以找到很多美味的野果子。虽然这些野果平时不可见，但随着树叶变黄、凋零，果实就容易找了。而且，他牢牢地记着，在山坡半腰部，有一片不小的沙枣林，按时间算，它们现在应该已经都成熟了。

所以，今天一上山，小神农便带着师傅往山坡腰间的地方去。朱有德问："小神农，你走这么快干嘛？难道有什么在等着你吗？"

"师傅，到了您就知道了，绝对有惊喜。"小神农居然学会了保密，他并不打算提前告诉师傅。

没一会儿，他们翻过山坡，来到山腰间的平坦处。小神农往小沟前面看了一下，那些红通通的沙枣已经挂在枝头了。

"师傅，快看，这就是我要找的东西了，今天可以一次吃个够了。"小神农笑得嘴都合不上了。

"原来是沙枣啊，你怎么知道这里有沙枣树的？"朱有德看着那片沙枣林也很高兴。

"我们以前就看到过，只不过当时还没长枣呢，所以我就记下来了呀。"小神农说着就往前走，"师傅，快点吧，我都馋死了。"

"先等等。"朱有德却叫住了他，"你想吃沙枣可没这么容易，你先给我说一说沙枣树的特征。"

"师傅，我肯定知道它的特征。"小神农急得直抓头，但师傅说的话又不能不听，便望着那些枣子开始描述了，“沙枣是多年生小乔木，可以长3～10米，树皮颜色灰褐，有光泽，树干多有弯曲，分枝密，而且枝上有刺，红褐色的。嫩枝初长时，表面带有星状毛。它的叶子披针状，带短叶柄，叶子全缘，上面浅绿色，下面银白色。”说到这里，小神农咽了下口水，把一边的朱有德逗得“噗哧”一声笑出来。

“师傅，您不要笑。”小神农接着说，“它每年5～6月开花，秋天果实才成熟。花朵很小，金黄色，多会几朵一起生长，花萼是筒状钟形的，于顶端分4裂，花朵带有光泽，为肉质。花谢之后，就长出沙枣来了。”

“那沙枣是什么样子呀？”朱有德不慌不忙。

“沙枣是圆球形的呀，但不大，直径0.7～1.5厘米，长2厘米左右。初长时表面是黄棕色的，还带着细毛，它一端有果柄，一端略下陷，两头有放射状的短沟纹。果实成熟后，变成淡红色或者深红色，肉质乳白色，味道微酸甜，肉中有一颗卵形的核，表面会长棱线和条纹。”小神农一边说着，已经开始要往前走了。

“先不要着急，你还没说它的药性呢。”朱有德笑着，似乎在磨练小神农的意志一样。

“师傅，沙枣还能入药吗？我以为就是给我们吃的。”小神农这下才傻眼了。

“当然能入药。沙枣果实味甘、酸，性凉，能健脾止泻；而它的树皮却味酸、微苦，性凉，是用来清热凉血、止痛解毒的好药材，一般肠道炎症、胃部不适、气管炎症以及烫伤、出血等都可以用它入药呢。”朱有德说完，自己先朝着沙枣林走了。

“哦，可以去吃沙枣咯。”小神农站在那想了一会儿，见师傅朝前走了，才反应过来，一路小跑着奔向了沙枣林。

——通脉解毒的两用药

小神农不仅吃了好多沙枣，还采了大半筐。朱有德也采了不少，两个人一边往山下走，一边聊着天。小神农想得最多的还是这些沙枣怎么处理，所以问：“师傅，这些沙枣我们是全都吃掉还是炮制入药呢？”

“可以晒干了食用兼入药，冬天时再来剥点沙枣树皮，这样就两全其美了。”朱有德也背着半筐沙枣，走到山脚下，就感觉疲惫不已，“坐下歇会儿吧，小神农，师傅累了。”

可是，他刚要坐下，就看到山脚下的野草中有很多带有红色枝叶的草，便说：“看看，只顾着去摘沙枣了，这些地锦草都没看到。”

“师傅，我们家里不是还有很多地锦草吗？今天不用采了吧？”小神农筐里有沙枣，他可不想再装这些野草了，所以故意这样说。

“你呀，为了吃就不要药材了。我上次给你讲过地锦草的特征了吧？现在说给我听听吧。”朱有德坐下来，长长地喘口气，就开始考起小神农来。

“这还不简单，地锦草是一年生的草本植物，茎从根部生出，为二歧分生状，分枝会平铺在地面上，枝表光滑，红色，折断后可以流出白色乳汁来。”小神农顺手将地上的地锦草拔起来一棵，接着说，“它的叶子椭圆形，前端圆，基部为不等形，边缘带有细齿。叶片上面绿色的，下面却是绿白色。它每年7～8月开花，花序为聚伞状，单生于腋间，花苞圆锥形，淡红色，于顶端开4裂，并带有4个腺体。它雄花多，雌花只有一朵，花谢后会长出小蒴果，表面可见3棱，比较光滑，里面有卵形的小粒种子。”

小神农说得非常准确，而且没有任何纰漏，朱有德满意地点点头：“那它的药性呢，这也很重要的。”

“地锦草味苦，性平，归肝、大肠经，不但可以利湿通乳，还能清热解毒。《本草汇言》中说它‘凉血散血，解毒止痢之药也。善通流血脉，专消解毒疮’，所以用于痢疾、腹泻、尿血、咯血、疮疖痈肿等症都有效。”小神农得意地看着师傅，一脸自信。

“不错，我们小神农不但记忆力好，口才也非常好，居然让师傅找不到破绽了，看来真的大有进步。”朱有德抚摸着小神农的头，心满意足地说，“好了，回家吧。”

师徒俩将药筐背起来，一前一后，慢慢朝着家的方向走去。

药物名称汉语拼音索引

特别鸣谢

本书从创作伊始到即将付梓，经历了近3年的时间，其间得到了众多同行和亲朋好友给予的建设性意见和鼎力支持，有了他们的帮助，才有本书的顺利完成和出版，在此特向齐菲、周芳、裴华、谢军成、谢言、全继红、李妍、叶红、王俊、王丽梅、徐娜、连亚坤、李斯瑶、李小儒、戴晓波、董萍、鞠玲霞、王郁松、刘士勋、余海文、李惠、矫清楠、蒋思琪、周重建、赵白宇、仇笑文、赵梅红、孙玉、吴晋、杨冬华、苏晓廷、宋伟、蒋红涛、朱进、高稳、李桂方、段其民、姜燕妮、李俊勇、李建军、王忆萍、魏丽军、徐莎莎、张荣、李佳蔚等表示诚挚的谢意！